진솔쌤의 진솔한 홍콩 이야기 1

발행 | 2024년 02월 19일
저자 | 진솔쌤(이승권)
펴낸이 | 한건희
펴낸곳 | 주식회사 부크크
출판사등록 | 2014.07.15(제2014-16호)
주소 | 서울특별시 금천구 가산디지털1로 119 SK트윈타워 A동 305호
전화 | 1670-8316
이메일 | info@bookk.co.kr

ISBN | 979-11-410-7242-1

진솔쌤의 진솔한 홍콩 이야기

진솔쌤(이승권) 지음

들어가며 ◇◇◇

처음으로 홍콩 땅에 발을 내디뎠을 때는 몰랐다. 이곳에 이렇게 오래 살게 될 줄은 말이다. 중, 고등학교 시절 홍콩 영화를 많이 접했다. 스크린에 펼쳐진 공간들이 앞으로 내가 살게 될 곳이라 말해주는 사람은 아무도 없었다. 그리고 지금, 홍콩에서 생활한 지 20년이라는 시간이 흘렀다.

이제 홍콩은 나의 제2의 고향이 되었다. 가끔씩 한국을 가게 되면 오히려 어색한 느낌도 든다. 추워봤자 영상 10도 밑으로 잘 떨어지지 않는 홍콩의 겨울도 춥게 느껴진다. 일주일에 한 번은 현지인들처럼 차와 함께 딤섬을 먹는다.

홍콩에 주재원으로 부임한 2004년 2월 이후로 4년간, 나는 본사에서 출장 오는 동료 직원과 임원들에게 홍콩의 가이드 역할도 하였다. 같이 식사를 하고 이동을 하며 틈틈이 홍콩에 대한 소개를 해야 했던 것이다. 2008년 학원을 운영하면서부터는 막 홍콩 생활을 시작한 교민들에게 길잡이 노릇도 했다. 이들로부터 쏟아지는 다양한 질문에 대답해줘야 했다. 홍콩에 더 오래 산 교민 선배로서의 지식 전달 및 경험을 공유하였다. 모르는 것은 알아보며 공부도 했다. 이런 것들이 쌓이고 모여 책이 되었다.

홍콩수요저널에 글을 써야겠다고 생각한 것은 나에게 정말 신기한 결정이었다. 어느 날 아침이었다. 맥락 없이 문득 '홍콩 생활의 경험을 칼럼으로 소개해 볼까'라는 생각이 든 것이다. 이어서 어떤 내용들을 써 볼까하며 글감들을 떠올려 보았다. 바로 몇 가지가 생각났다. 그리고는 당장 수요저널의 편집장에게 전화를 걸었다. 아이디어가 떠 오르고 전화를 하기까지 몇십 분밖에 안 걸린 것 같다.

전화를 받은 손정호 편집장도 그 자리에서 흔쾌히 허락해 주었다. 당장 학원 인근 서점에 가서 홍콩에 관한 서적을 사서 읽기 시작했다. 나의 경험, 책을 통한 지식, 홍콩 지인들과의 인터뷰 등을 통해 칼럼들이 지면을 메워 나갔다. 그리고 이때도 몰랐다. 칼럼이 4년 넘게, 200 편 이상 연재될 줄은 말이다. 처음의 목표는 딱 '100회 연재'였다. 목표를 달성한 후 이번에는 '시작'이 아닌 '마무리'의 의사를 전달하기 위해 손 편집장에게 전화를 했다. 그런데 독자들의 반응이 좋아 이대로 끝내기가 아쉽다 하는 대답을 들었다. 손 편집장으로부터 계속 써달라는 간곡한 부탁을 받고는 마음이 흔들렸다. 살짝 힘도 났던 것 같다.

홍콩에 거주하는 교민들, 또 이주를 앞두고 홍콩 생활이 궁금한 사람들에게 나의 졸고가 작은 역할을 했으면 한다. 특히 주재원들에게 도움이 되었으면 좋겠다. 홍콩을 방문하는 여행객들 또한 마찬가지다. 블로그에는 수많은 여행 관련 글들이 넘쳐난다. 비록 부족한 식견이지만 필자는 이 책에서 인문학적인 시각으로 좀 더 다양하게 다뤘다는 점을 차별화로 내세우고 싶다.

이 책을 출판하며 고마움을 표현하고 싶은 대상들이 많다. 200편이 넘도록 나의 부족한 글에 좋은 반응을 보여 준 독자들, 그리고 지면을 허락하고 기회를 준 수요저널 손정호 편집장에게 감사의 인사를 전한다. 수요저널 홍지혜 팀장은 칼럼을 실을 때마다 적절한 사진을 찾아 지면을 메워주었다. 나의 중국어 수강생 김경희 씨는 칼럼에 깊은 관심을 보이며 다양한 소재들을 제공해 주었고, 전4권의 교정도 해 주었다. 수강생 이나이, 정다운 씨, 곽월나 선생에게도 많은 도움을 받았다. 이 자리를 빌어 고마움을 표하고 싶다.

우리 학원의 한국어반 수강생들로 인해 이 책의 내용이 좀 더 충실해졌다고 생각된다. 우선 15년간 나의 한국어반 수강생이 되어주며 칼럼의 자문 역할을 한 도리스 씨와 보니 씨에게 감사한다. 역시 홍콩의 사회와 문화에 대해 내가 궁금할 때마다 답을 주었던 한국어반 학생들 매설홍 씨, 황정문 씨, 증정은 씨, 오숙민 씨, 아이리스 씨, 장자미 씨, 장선정 씨, 정가민 씨, 도윤홍 씨, 통통 씨, 하이디 씨에게도 감사의 인사를 하지 않을 수 없다. 또한 적절한 영감과 소재를 제공해 준 HKU SPACE의 한국어 과정 수강생들에게도 감사를 표한다.

누구보다 깊은 감사를 전하고 싶은 사람은 마지막에 언급하려 한다. 홍콩 생활의 버팀목이 되어 준 가족들이다. 멀리서 해외 생활을 응원해 주신 나의 부모님, 가까이에서 홍콩에서의 긴 여정을 함께 한 아내와 아들 진솔이에게 사랑한다는 말을 전하고 싶다.

2024년 7월 홍콩에서

진솔쌤 이승권

'진솔샘의 진솔한 홍콩 이야기' 집필 시기 및 주요 내용 (2024년 개정본 출판)

집필 시기	제1권	제2권	제3권	제4권
	2019~2020년	2020~2021년	2021~2022년	2022~2023년
역사	'홍콩' 이름의 유래, 당신은 알고 계십니까?	역사를 바꿀 뻔한 홍콩판 캐러비안의 해적	홍콩의 지명들, 이렇게 유래되었다 -1, 2	홍콩의 일제 시대, 항일 미션 임파서블
	길 이름에 새겨진 홍콩의 총독들	5분만에 읽은 홍콩 현대사 – 상, 중, 하	역대 홍콩 최고의 지도자는 누구?	홍콩의 중국 반환, 그 막전 막후
사회 문화	홍콩 사람들이 좋아하는 선물, 싫어하는 선물	한국 공수처의 롤 모델 염정공서를 아십니까	군사 기지에서 슬럼가로, 다시 공원이 된 구룡성채	홍콩의 엽기적 사건들, 그리고 흉가 피하기
	접대를 위한 중국 요리 주문의 팁	금융 제국 HSBC는 어떻게 탄생되었나	새 단장하고 돌아온 센트럴 마켓	홍콩식 포장마차, 다이파이동
	통계로 본 홍콩 인구의 이모저모	딤섬의 세계로 당신을 초대합니다	홍콩의 장례 문화, 1달러의 의미는?	예술의 경지, 대나무 건축 기술 평가
	홍콩인들이 많이 사는 곳은? 10대 주택지	중국 최고라는 광동 요리, 얼마나 알고 있나요?	홍콩의 독특한 주택 양식, 웨이촌을 아십니까?	구룡-홍콩섬, 왜 교량이 아닌 해저 터널일까?
	홍콩판 전설의 고향	홍콩 재벌 이야기: 4대 가문은 누구?	키워드로 읽는 홍콩의 설날 - 춘절	천태만상, 개성만점 자동차 번호판
	홍콩 재벌들의 납치극 잔혹사	홍콩의 건물들에 숨겨진 풍수의 비밀	최고만 모았다, 이것이 홍콩 최고!	홍콩의 역대급 재난들
	지금은 귀신의 달, 빨리 귀가하세요~	홍콩 최고 연봉의 직업은?	통제 구역에서 관광지로, 샤타우콕	홍콩 폴리스 스토리
홍콩 생활 즐기기	한국인이 좋아하는 중국요리는?	가족과 즐기는 특별한 캠핑지	홍콩에서 꼭 타봐야하는 네가지 배는	홍콩에서 가장 독특한 섬 압차우
	우리가 잘 모르는 의외의 명소들	가성비 가심비 모두 잡는 호캉스 즐기기	홍콩에서 가장 아름 다운 정원 치린사원	다양한 매력을 즐길 수 있는 샤틴
	윈롱으로 떠나는 주말 여행	추천! 가족과 함께 하는 하이킹 코스	홍콩에서 즐기는 중국 8대 요리는?	일몰과 야경을 함께 즐길 수 있는 곳은
	현지 음식 문화 체험하기 1 - 차찬텡	테마에 맞게 가 보자 – 홍콩의 해변들	그대에게 절경을! 14번 2층 버스	산, 바다, 육지에서 즐기는 사이쿵
	현지 음식 문화 체험하기 2 – 길거리 음식	가성비 높은 해산물 요리, 이렇게 주문하자	이런 곳도 있어? 홍콩의 이색 바비큐장	원숭이와 아름다운 저수지가 반기는 싱문 하이킹
	현지 음식 문화 체험하기 3 - 디저트	텐트 들고 떠나는 홍콩 최고의 야영지	하루 코스로 돌아 보는 홍콩의 고적여행	홍콩의 7대 차찬텡은 어디?
홍콩에 거주하며	내가 만난 집주인들	홍콩 생활의 10가지 장점	한인들이 많이 사는 곳, 장점과 단점은?	내가 만난 홍콩 사람의 10가지 특징
	HKU SPACE에서 한국어 교사로 일하며	내가 꼽은 홍콩 생활의 단점들	한적한 곳이 좋아, 한인 인기 거주지는	알아두면 쓸모 있는 홍콩의 식사 문화와 예절

7

추천의 글 ◇◇◇◇◇◇◇◇◇◇◇◇◇◇◇◇◇◇◇◇◇◇◇◇◇◇◇◇◇◇◇◇◇

올해는 홍콩에 거주하는 한인의 역사가 75주년을 맞는 해입니다. 해방 이후 중국에 거주하던 한국인 일부가 홍콩으로 내려와 한인사회를 형성하고 1948년 3월 1일 홍콩한국교민회 발기대회를 개최한 기록이 있습니다.

홍콩의 한인 역사가 이렇게 오래 되었지만 한글로 만들어진 홍콩에 관한 서적은 그리 많은 편은 아닙니다. 존재하는 책들도 대부분 홍콩 여행에 관련된 것들입니다. 아쉬운 점은 그런 홍콩여행을 다루는 상당수 도서가 홍콩 정부에서 제공한 통계 내용을 바탕으로 홍콩에 단기간 머물면서 촬영한 사진과 주관적 감상이 섞여 있는 수준에 머물고 있다는 것입니다. 그래서 홍콩여행 서적은 표지만 다를 뿐 서로 비슷한 내용이 반복되고 있습니다.

새롭게 출간되는 <진솔샘의 진솔한 홍콩 이야기>는 경험과 조사에 기반을 둔 홍콩 이야기의 최신판이라고 확신합니다. 이 책에 쓰여진 모든 글은 홍콩 한인을 위한 한글 신문 '홍콩수요 저널(Wednesday Journal)'에 기고된 칼럼이기 때문입니다. 수요저널은 1995년부터 홍콩 정부에 정식 등록되어 홍콩뉴스와 정보를 전하는 한인 언론사입니다.

2019년부터 홍콩 생활칼럼을 쓰기 시작한 이승권 원장은 매주 수요일 발행 및 배포되는 수요저널 신문을 위해 현지 도서관을 방문하거나 직접 탐방하거나 가까운 홍콩인들에게 물어보는 등 다양한 경험을 바탕으로 칼럼을 쓰고 있습니다.

홍콩의 한인들에게 도움이 되는 글과 컨텐츠를 찾고 있는 저에게는 이승권 원장님의 글들이 매우 독보적이며 훌륭한 자랑거리입니다.

저 역시 20여년이 넘게 홍콩생활을 하며 홍콩의 많은 지역을 방문했습니다. 취재 업무로 인해 다양한 사람을 만나고 시즌마다 지역행사에도 많이 가보았습니다. 하지만 언어소통의 한계 때문에 깊이 있는 취재는 못해 아쉬운 마음이 컸습니다.

4년 전 부터 이승권 원장님이 매주 보내주시는 칼럼 초안을 읽을 때마다 '홍콩에 이런 곳이 있었나', '이게 이런 뜻이 있었구나' 하며 조용히 탐독해왔습니다.

그의 칼럼은 여행객에게 홍콩을 설명해야 하는 가이드분들께 큰 도움이 되었습니다. 또한 홍콩을 방문하는 분들께 설명해야 하는 지침서가 되고 있습니다. 그의 칼럼을 인쇄하여 스크랩하시는 분들도 상당수 계십니다. 그만큼 이승권 원장의 칼럼은 많은 사람들에게 제대로된 홍콩이야기를 해주면서 많은 사랑을 받고 있습니다.

펜데믹 이전부터 홍콩을 방문하는 한국 여행객도 폭발적으로 증가하여 홍콩 거리에서 한국인들의 모습이 자주 보입니다.

짧은 여행기간동안 좀더 홍콩스럽고 홍콩인들만의 삶 속으로 들어가보고 싶다면 이 책이 정답이라고 감히 말씀 드립니다. 북경어와 광동어를 숙련해오신 이승권 원장님이 직접 경험하고 발로 취재한 이야기는 홍콩여행을 더욱 부지런하고 알차게 해드릴 것입니다.

이 책을 홍콩 한인들에게 생활교과서로, 여행객들에게는 필수참고서 추천하고 싶습니다.

홍콩수요저널 편집장
손정호

차례 ◇◇

2. 홍콩의 사회/문화 이야기

3. 홍콩 생활 즐기기

4. 홍콩인과 한국

5. 홍콩에 거주하며

제1장

•

홍콩의 역사 이야기

'홍콩' 이름의 유래, 당신은 알고 계십니까?

　　홍콩에 살면서 '홍콩'이라는 이름이 어떻게 유래됐는지, 그 뜻이 무엇인지 생각해 본 적이 있는가? 알다시피 한자로는 香港(향항), 영어로는 'Hong Kong'이라고 쓴다. '香'은 한자로 '향기로울 향'이며 중국어로는 형용사로 '향기롭다', 명사로 '향(香)'이라는 의미를 갖고 있다. 그리고 '港'은 항구를 지칭한다. 자, 오늘 '홍콩'이라는 이름의 유래를 살펴보는 시간을 갖도록 하자. 그 유래는 다음과 같은 4가지 설과 관계 있는데, <홍콩고대사신편 (香港古代史新編, 華書局出版)>의 내용을 인용하여 소개한다.

1. 향고(香姑)'라는 해적 이름에서 유래됐다는 설

　　청나라 시기에 임(林)모라는 해적과 그의 아래 향고(香枯)라는 부부가 있었는데, 청나라 장군 이장경(李長庚)에게 격퇴되어 남편은 대만으로, 아내 향고는 잔당들과 함께 홍콩섬에 거점을 두고 머무르게 된다. 훗날 사람들은 아내 향고의 이름을 따서 이 섬을 '향항도(香港島)'라고 불렀다는 것이다. 하지만 오늘날 홍콩 어디에서도 향고에 대한 역사적 기록을 찾을 수 없다. 그리고 중국인들은 해적을 증오하는 바, 해적의 이름을 따서 지명 이름을 부르게 됐다는 것은 설득력이 떨어진다.

2. 홍콩섬의 '향로산(香爐山)' 이름에서 유래됐다는 설

코스웨이베이 틴하우 사당 앞에는 예전에 빨간 향로가 있었다. 전설에 의하면 그 향로는 먼 곳에서 떠내려오다가 사당 앞 모래사장에서 발견되었다고 한다. 사람들은 그것을 사당에 갖다 놓고 그 사당 뒤의 산봉오리를 홍향로산(紅香爐山), 그 앞의 바닷가는 홍향로항(紅香爐港)이라고 칭했는데, 그것이 홍콩섬 전체의 명칭으로 불러지게 됐다는 설이다. 하지만 <신안현지(新安縣志)>에 실린 지도를 보면 홍콩섬 한쪽에는 홍량로산이, 또 다른 곳에는 홍콩이라는 지명이 동시에 존재한 바, 향향로산의 이름이 홍콩의 유래설은 사실과 멀다.

3. 폭포의 이름에서 유래됐다는 설

오늘날 광동어로 폭푸람(薄扶林)으로 불리는 곳의 남쪽에는 와

푸촌(華富邨) 폭포공원이 있었다. 전설에 의하면 이 폭포는 산에서 흘러내려오는 한 계곡물에서 시작되었다. 옛날 이 물은 맛이 좋아 음료로 사용되었고 이 용수를 향강(香江)으로 부르게 되었다고 한다. 그리고 폭포가 바다로 흘러 나가는 항구에는 향항(香港), 즉 홍콩이라는 명칭이 붙었고 이것이 홍콩섬 전체를 대표하는 이름이 됐다는 설이다. 그러나 향강이라는 이름은 비교적 최근에 생긴 단어로서 '홍콩'보다 먼저 생긴 것이 아니라는 것으로 밝혀져, 폭포수의 이름에서 유래가 됐다는 설 또한 설득력이 부족하다.

4. 침향의 생산지, 향을 운반하는 항구의 이름에서 유래됐다는 설

홍콩은 명나라 때부터 유명한 침향의 생산지였다. 당시 동관, 심천, 홍콩 등지에서 생산된 침향은 현재의 침사추이에서 작은 배를 이용하여 에버딘 지역으로 운반된 후, 다시 상업용 배로 옮겨져 광주, 소주, 항주까지 운반, 판매되었다. 향나무와 향제품은 지금의 홍콩섬에 있는 에버딘 항구에 집결된 후 각 지역에 보내졌다. 이로 인해 이 지역의 동북쪽으로 향하는 수로를 '향항(香港)', 즉 홍콩이라 명명했다는 것이다. 이곳은 영국 사람들에 의해 'Fragrant Harbour'로 불렸는데 '향기로운 항구'라는 뜻이다. 또한 이 마을에는 '향항촌(香港村, Hong Kong village)'이라는 이름이 붙었고 이곳이 바로 오늘날 홍콩섬 남단에 위치한 에버딘 윙축항(黃竹坑)이다. 에버딘의 중국어 지명은 지금도 '香港仔(홍콩자이)'이다.

그런데 이곳의 이름이 홍콩 전체를 대표하게 된 까닭은 영국군과 관계가 있다. 영국군이 처음으로 홍콩섬에 발을 디딘 곳이 오늘날 스탠리마켓으로 유명한 스탠리 지역이다. 이곳에 상륙한 영국군은 이 지역의 진군(陳群)이라 불리는 현지 단민(蜑民)의 안내를 받아 행진을 하게 된다. 단민은 중국 남부 지역의 연안에서 수상 생활을 하는 사람들을 가리킨다. 영국군은 향항촌(香港村), 즉 홍촌과 폭푸람을 거쳐 센트럴까지 오게 된다. 향한촌을 거치게 될 때 영군군이 이곳의 이름을 묻는다. 진군은 단민어 발음으로 '홍콩'이라고 대답했고, 이것을 들은 영국인은 영어로 'Hong Kong'이라 적게 되었다. 이로 인해 이 마을의 이름이 곧 홍콩 전체를 대표하게 되었다는 유래이다.

이상이 '홍콩'이라는 지명이 붙은 유래에 대한 소개였다. 여러분이 주재원이라면 한국 본사에서 온 임원에게, 일반 교민이라면 한국에서 온 손님에게 내용을 설명하면서 아는 척 좀 해 보시라. 여러분은 그날 '뭘 좀 아는' 가이드의 역할을 하게 될 것이다.

옛날 홍콩에는 누가 살았을까? (1)

　　홍콩에 거주하며 문득 이곳의 옛날 모습이 궁금해지곤 했다. 누가, 어떤 생활을 하며 살았는지 등에 대한 홍콩의 과거, 옛날 옛적의 과거 말이다. 홍콩의 역사에 대해 말하라고 한다면 우리들은 '원래 작은 어촌이었는데 아편전쟁 이후 영국에 할양되면서 발전한 곳' 정도로 대답할 것이다. 하지만 그 이전 중국의 역사에서 홍콩은 어떤 역할과 모습이었는지에 대해서도 알고 싶지 않은가?

1. 고대 시기

　　현재 공항이 위치해 있는 첵랍콕과 마온산 주변에서 발견된 유적에 의하면 이미 약 6,000여년전 이곳에 홍콩의 선조들이 생활 터전을 이루어 살았음을 알 수 있다. 진시황이 세운 진나라 (秦,

기원전 221~206) 때 홍콩은 지금의 광저우에 있는 판위현(番禺縣) 관할이었다. 이후의 한(漢, 기원전 202~서기 220) 시기에는 중국의 중원 지역에서 이주해 온 사람들이 이미 유입되어 살고 있었다는 것이 유적을 통해 밝혀졌다.

2. 당(唐) 시기

홍콩과 이 일대의 지명을 담은 기록은 당시의 문헌에서는 찾기 어렵다. 유일하게 당나라(唐, 618~907) 시대의 사료를 통해 나타나는 곳이 툰먼(屯門)이다. 참고로 '홍콩(香港)'이라는 명칭은 명나라 때의 한 마을 이름으로 처음 등장한다. 당시 툰먼은 광동 지역 주강 삼각주의 교통의 요충지로서 약 1,600년 전부터 중요한 해상 관문이었다. 페르시아, 아랍, 인도, 인도차이나 반도, 남태평양 지역의 인사들이 이 일대로부터 해상을 통해 중국과 무역을 할 때 반드시 툰먼을 거쳐야 했다. 이곳의 중요도는 점점 커져 736년에는 군대 2,000명이 파병되어 지키도록 했다는 기록이 있다. 또한 군대를 따라 내려와 상업을 하는 사람들도 증가했다.

한편, 당나라 초 홍콩 일대는 광저우의 남해군 보안현(南海郡寶安縣)에 편입되어 있었고 이후 광저우 동관현(東莞縣) 관할에 속하게 된다. 당시 이 지역에는 현지 토착민들이 다수 거주하고 있었고, 연안에는 수상 생활을 하는 단민(蜑民)이 터전을 잡아 집단 생활을 했다. 단민은 배 위에서 거주했는데, 어업으로 생계를 유지했고 나중에는 소금을 생산하는 염업(鹽業)에 종사하기도 한다. 한편 북방 중원 지역에서 내려와 촌락을 이루며 사는 중국인들도 있었다. 이들은 원주민들과 동화되어 생활하였다.

3. 송(宋) 시기

북송(北宋, 960~1127) 시기에는 현재 홍콩섬의 서쪽, 란타우섬의 연안 일대에 소금을 생산하는 염전이 있었다는 기록이 있다. 그리고 신계 주민과 홍콩 인근 섬 주민들은 농경, 식물 재배, 벼농사, 채소 및 과일 재배 등으로 생계를 유지하였으며 산기슭에서는 차를 재배하였다. 또한 송 건국 이전 시기에는 현재의 타이포(Tai Po, 大埔)와 란타우섬에 주요 진주 채집장이 있었다는 기록도 있다.

북송 말에 중원 지역은 혼란에 휘말려 북방인들이 남하하게 되는데, 이들은 홍콩 북부, 즉 지금의 신계 지역에 거주하게 된다. 그리고 몽고족이 세운 원(元)나라의 침입으로 송의 황제와 군대는 연패를 거듭하며 광동 지역까지 밀려 내려온다. 이때부터 남송(1127~1279)의 두 황제는 광동 지역에서의 고달픈 피난 생활을 거듭하게 된다. 1276년 원나라는 광저우를 공격해옴에 따라 황제는 매위(梅蔚)쪽으로 피신을 한다. 이곳은 현재의 란타우 무이워 (Mui Wo, 梅窩), 혹은 칭이(Tsing Yi,靑衣)로 추측된다. 그해 4월 황제는 다시 카우룬시티(Kowloon City, 九龍城)의 남쪽으로 옮긴 후

사이완호에서 배로 30분 거리의 섬 동룡도(東龍島)를 잠시 거쳐 취엔완(Tsuen Wan, 荃灣)에 거점을 마련한다. 하지만 그 해 10월 원나라 군대가 취엔완을 공격해옴에 따라 송황제는 광동성 후먼(虎門)으로 피신하다가 결국 지양먼(江門)에서 전투에 패해 남송은 멸망하고 만다.

지금도 카우룬시티에 가면 '송왕대(宋王臺)'라는 당시 역사의 흔적이 있다. 홍콩에서 병사한 송나라 황제 단종이 생전에 올라가 멀리 둘러봤던 곳을 기념한 장소이다. 또한 여러 종류의 음식을 큰 그릇에 담아 먹는 홍콩의 전통 음식 푼초이(盆菜)의 기원이 당시 백성들이 황제를 위해 집집마다 갖고 있는 음식을 내온 것에서 비롯되었다는 설도 이 당시와 관련이 있다.

요약컨데 홍콩은 당나라 이후 동서를 연결하는 교통의 주요 거점으로서 역할을 하였고 특히 툰먼은 매우 중요한 요충지였다. 북송과 남송 시대를 거치며 당시 홍콩 일대는 어업과 염업이 발달한 바, 조정에서는 군대를 파병하여 주둔케 하였다. 한편 송나라의 두 황제가 피신을 하는 동안 이를 수행한 군대와 분산된 병력과 일부는 현지에 남아 거주하게 되었는데, 이들은 이후 지역 발전에 큰 기여를 하게 된다.

옛날 홍콩에는 누가 살았을까? (2)

1. 원(元) 시대 - 중원의 북방인 남하

　원나라 시대에 홍콩 지역은 광저우 동관현 관할하에 있었다. 당시 현재의 툰먼에 순검사(巡檢司)가 설치되어 홍콩 일대의 민정을 관리하였다. 중원이 몽고족인 원나라의 수중에 떨어지자 많은 북방인들이 남하하였고 그 중에는 광동 지역에서 몽고군에 항거하는 세력들도 있었지만 결국 실패하였다. 한편 남하한 이들은 심천, 홍콩 등지로 흩어지게 되었다. 그중 일부는 현재의 신계 지역에 같은 성씨족이 집단으로 촌락을 형성하여 거주하였으며 현지인과 동화되기도 하였다.

2. 명(明) 시대 - 경제 발달, 인구 대거 유입, 해적 및 외세의 침입

명나라 시기에 홍콩의 경제는 나날이 발전하였다. 주민 유입도 크게 증가하여 명나라 말 무렵에는 이곳에 이미 많은 인구가 거주하였다. 당시 개발된 지역은 모두 연안 일대와 도서 지역이었는데, 이곳에 거주하는 많은 이들이 수상 가옥에 살고 있는 단민(蜑民)들이었다. 이들은 당시 어업과 염업에 종사하였다. 외지에서 유입된 세력은 지금의 윈롱, 판링, 상수이 등 신계의 평지, 분지 혹은 협곡에 거주하며 농경 생활을 하였고, 신계와 섬 지역에서 식물 재배나 과수원에 종사하는 사람들도 있었다.

명나라 때에는 홍콩 지역에 소금과 향나무가 많이 생산되었다. 그러나 모두 나라에서 판매권을 갖고 있었기 때문에 백성들의 생활은 빈곤하였다. 이중 향나무의 경우 홍콩과 그 주변 일대의 토질이 성장에 유리하여 이곳 향제품은 다른 지역의 품종보다 우수하였다. 어업의 경우 해상 운송을 통해 각 연해 지역으로 수산물의 판매가 이루어졌다. 지금의 란타우 섬 북쪽 연안, 특히 타이오(Tai O, 大澳)는 어업의 중심지로서 많은 어선들이 집결되었다.

1518년, 포르투갈의 함정들이 툰먼에 입항하여 그 일대를 점거하며 약탈을 하거나 토착민을 학대하는 사건이 발생하였다. 이에 명나라 조정에서 해군을 파견하여 란타우 섬 북쪽 지역에서 포르투갈의 여러 함정을 소각하고 물리치는 성과를 거둔다. 또한 1522~1566년 중엽, 해적 임도건(林道乾)이 세력을 집결하여 홍콩의 연안 각지역을 노략질하는 동시에 해상에서는 통행세를 받았다. 이로 인해 이 지역의 선박들은 출항을 자제했고 임도건 세력이 격퇴되고 나서야 이전의 생활로 돌아갈 수 있었다. 이런 사건들을 계기로 민간 및 군대의 협력을 통해 해안 지역의 방어 진지를 구축하는 사업이 진행되었고, 이후 해상 세력의 침략은 감소하였다.

3. 청(淸) 시대 - 해금령 및 해안 주민의 내륙 이주

청나라 초기, 해안에 거주하는 주민들이 대만에 거점을 두고 있는 명나라의 저항 세력 정성공(鄭成功)과 결탁하여 국가를 위협하는 불안 요소를 제거하기 위해 정부에 의해 1656년 선박의 출항을 금지하는 해금령이 내려졌다. 하지만 큰 효과를 거두지 못하자 해안에 거주하고 있는 주민들을 모두 내륙으로 옮기게 하는 강제 이주 정책이 시행되었다. 내륙 이주 정책이 시행된 곳은 지앙난, 져지앙, 푸지엔, 광동이었고 이중 대만과 인접한 푸지엔과 광동 지역에 매우 엄격히 적용되었다. 홍콩도 예외일 수 없었는데 이로 인해 폐허가 된 해안 곳곳은 해적의 소굴이 되었다.

정성공 세력이 투항한 후 1684년 해금령은 폐지되었다. 해안을 떠난 이들은 자신들의 삶의 터전으로 돌아올 수 있었다. 그러나 20여년간 인적이 없었던 해안 지역은 이미 황폐해졌고, 이전의 건축물들과 문물들은 사라지거나 옛 모습을 잃은 상태였기 때문에 고향으로 돌아온 이들은 많지 않았다. 결국 국가에서는 인근 지역의 주민들에게 특혜를 주어 이들로 하여금 다시 원래의 거주지로 돌아오도록 하는 정책을 취하였다. 이때 대거 이주해 온 사람들 이 객가인(客家人)이었다. 이들과 토착민들 간에는 잦은 충돌이 발생했고, 사망자들이 발생하는 사건들이 생기기도 했다.

이후 홍콩의 연안에는 다시 해적 및 외세의 침입이 잦아진다. 이중 정성공의 부하 대장이었던 정건(鄭建於)의 손자 정연창(鄭連昌)과 정연복(鄭連福)이 광동 일대를 휘젓고 다녔다. 이들은 현재 레위문(鯉魚門)의 마귀산(魔鬼山, Devil's peak) 및 란타우 섬을 점거하여 이곳을 지나는 선박들에게 통행세를 걷었다.

한편, 영국 선박으로는 최초로 캐롤라이나호가 1683년 무역을 요구하며 란타우 섬에 정박한 이후 홍콩 지역에는 중국과 무역을 원하는 서양 세력들의 입항이 잦아진다. 홍콩은 광동으로 들어가는 관문으로서, 그 군사적 중요성을 간과하지 않은 청나라 정부에 의해 진지 구축 및 파병 등의 조치가 취해진다. 하지만 1839년 아편 전쟁 발발 후 청나라는 영국에 패배하여 1841년 체결된 남경 조약에서 홍콩섬을 영국에 할양하는 계약이 체결된다. 이어 1860년에 구룡반도가 할양되고, 1898년에는 신계까지 조차지로 넘겨지며 홍콩은 점차 농경 사회에서 대도시로 탈바꿈하게 된다.

청나라 때 세워진 역사적 병원,
그리고 토요일 스티커

    1800년대 말부터 홍콩섬의 성완은 중화권 사람들의 정치, 경제 중심지였다. 이곳에는 청나라 때 세워져 지금까지 홍콩 사람들을 위해 150년 동안 봉사해 온 최초의 병원이 위치해 있다. 바로 1870년에 지어진 동화병원(東華醫院)이다. '동화'는 '광동의 중국인'이라는 뜻이다. 이 역사적 의미를 지닌 병원은 단지 사람들을 치료하는 역할에 머물러 있지 않고 자선 사업 및 학교 설립의 세 가지 큰 축으로 홍콩 사회에 막대한 기여를 해 왔다. 성완의 동화병원은 1934년 증축되어 2009년에는 1급 역사 건축물로 등재되었다.

    동화병원은 야마테이의 광화병원(廣華醫院), 코스웨이베이의 동화 이스턴 병원(東華東院)과 함께 1931년부터 동화삼원(東華

三院)의 이름하에 관리, 운영되고 있다. 이 중 가장 규모가 큰 곳은 1929년에 지어진 동화 이스턴 병원이다.

동화병원이 세워진 1800년대 말의 시대적 배경을 살펴보자. 1841년 홍콩의 인구는 겨우 7,450명이었다. 그러다 1861년 인구가 86,338명까지 급증했고 1871년에는 124,198명까지 증가한다. 불과 30년만에 16배 이상이 증가한 것이다. 이로 인해 사회에 여러 가지 문제들이 발생한다.

그중에 의료 시설이 심각한 문제로 대두된다. 겨우 2개의 서양식 병원만이 있었으나 의료비도 비싸고 언어적 소통 문제 또한 걸림돌이었다. 그리고 중국인 노동자들은 서양 의학에 대한 불신을 갖고 있었다.

당시 성완 태평산(太平山)위에 광복의사(廣福義祠)라는 사당이 있었다. 14개의 신이 모셔져 있고 타향에서 객사한 사람들에게 제사를 지내기 위한 곳으로 '백성들의 사당'이라고 불리어진 곳이다. 이후에는 가난하고 병든 사람들을 기거시키며 치료하는 곳으로도 사용되었다. 어느 날 영국의 한 관리가 이곳에 들렀는데 너무나 처참한 위생 상태에 경악을 금치 못하였다. 그리고 이것이 언론에 알려지며 홍콩 사회에 큰 파문을 일으키게 된다.

이로 인해 민간 병원의 필요성이 논의되었고 이것이 홍콩 최초의 중국인 대상 병원 탄생의 배경이다. 이 병원 설립의 취지는 홍콩 거주 중국인들에게 무상으로 의료 혜택을 주는 것이었다.

동화병원은 민간 무료 병원으로서 당시 재정의 30%는 기부금 및 모금 등을 통해 충당했다. 그리고 이후 이런 활동은 단지 병원의 재정 확보를 위해서 뿐만 아니라 어려운 사람들을 돕기 위한 움직임으로도 확대된다. 즉, 폭우, 태풍, 전염병 등 각종 재난으로 피해를 입은 사람들을 지원하고자 적극적인 모금 활동 및 피해 지역 복구 사업 등을 전개한다.

1885년 폭우로 발생된 주강 삼각주의 홍수는 광동과 광서 지역에 20만명의 이재민을 발생시켰다. 동화병원은 신속히 홍콩의 상인들과 시민들을 대상으로 모금 행사를 벌였고 심지어 해외의 화교들에게도 이재민 지원의 동참을 호소한다. 그 결과 총 4만 6천원 모금하였다. 이 소식이 전해지자 청나라의 황제였던 광서제는 '萬物咸利'(만물함리: 세상의 모든 것들이 길하고 순조롭기를 바람)라고 쓰인 현판을 하사했다.

이후 재난 지역 구조 활동은 중국, 홍콩내에 머물지 않고 미국, 일본 등의 화교들을 돕기 위한 사업으로까지 확대된다. 예를 들면 1906년 샌프란시스코 지진 및 1923년 일본 관동 대지진이 그것이다.

동화삼원의 이러한 사회적 봉사 활동은 지금까지도 이어지고 있다. 2017년에는 1억 8천만원을 모금하는 등 홍콩내 최대 자선 기구 중 하나로서 자리매김하고 있다. 우리가 토요일 오전 거리를 나서면 익숙한 광경이 펼쳐진다. 동전 모금함을 목에 걸고 스티커를 붙여주는 봉사자들이다. 이것 또한 동화삼원이 진행하고 있는 모금 방식 중 하나이다.

한편 동화삼원은 학교 설립 사업에도 적극적인 활동을 전개해 왔다. 1881년 취학 연령 인구가 52%까지 차지하게 되자 교육 기관 설립의 필요성이 사회적으로 제기되었다. 이에 동화삼원은 학교를 세우고 지역 사회 발전을 위해 활발한 교육 지원 사업에 힘쓴다.

현재 17곳의 유치원, 14곳의 초등학교, 18곳의 중고등학교가 동화삼원의 이름 아래 운영 중이다. 초, 중, 고 총 학생수는 2만 명이나 된다. 이제까지 상당히 많은 '동화' 출신들이 배출되어 홍콩 사회의 각계각층에서 활약중인 것이다.

홍콩에 거주하는 중국인들을 치료하고자 설립된 150년 역사의 동화삼원. 당시 취약 계층을 돌봐 온 뿌듯한 역사를 지닌 것과 함께 사회 발전을 위한 자선 및 모금 활동의 선구자 역할을 하기도 했다. 그리고 곳곳에 학교를 설립하여 교육 분야에도 크게 이바지한 동화삼원이 홍콩 사회에 미친 역할은 정말 지대하고 할 수 있다. 그리고 이 기관의 뜻깊은 활동은 지금도 이어지고 있다.

성완에 가게 된다면 잠시 시간을 내어 이곳을 둘러보고 기념 사진 하나 남기는 것도 의미가 있을 것이다. 여러분들의 스마트폰에 있는 먹방 사진과 일상 사진 외에도 역사적 현장을 담은 하나의 공간을 마련해 보도록 제안한다.

성완에 있는 동화병원 (출처: 醫院管理局)

120년전 홍콩을 공포로
몰아넣은 전염병의 정체는?

홍콩에서 타임머신을 타고 1894년으로 거슬러 가서 주위를 둘러본다. 도시는 어둡고 암울하며 겁에 질린 모습의 사람들이 시야에 들어온다. 사망률 93%라는 치명적 전염병이 홍콩을 휩쓸던 시기였다. 마스크도 없던 그때, 이곳에서 무슨 일이 벌어지고 있었던 것일까?

치사율 93%의 치명적 전염병

우선 당시의 시대적 배경을 살펴보자. 1874년부터 1894년까지 20년 동안 홍콩 인구는 3배로 팽창하였다. 내부적으로는 인구밀도가 급증하고 외부적으로는 중국으로부터 인구의 유입도 크게 이루어지다 보니 홍콩은 전염병에 취약할 수밖에 없는 환경이었다.

32

그리고 이보다 조금 앞선 1855년, 중국의 서남부에 위치한 운남성에서 치명적인 전염병이 창궐한다. 이것은 중국의 동부 지역, 즉 광서성과 광동성으로 퍼진 후 중국 전역으로 확산된다.

광동성 광저우에서 이 전염병이 처음 발견된 것은 1894년 2월이다. 질병은 확산되어 같은 해 4월에는 광저우에서 전염병을 피해 홍콩으로 피난 오는 사람들이 나타나기도 했다. 5월이 되자 광저우에는 이 전염병 때문에 목숨을 잃은 인구가 만 명에 달한다. 당시 광저우와 홍콩 간에는 해상 교류가 활발했다. 중국의 설날인 춘절을 맞아 그해 2월 한 달간 약 4만 명이 홍콩에 유입되기도 하였다. 결국 홍콩 역시 5월 8일 첫 확진자가 나오면서 막대한 피해의 서막을 알리게 된다.

홍콩의 정부 기관 중 보건위생부에 해당하는 결정국(潔淨局)은 전염병 발생에 대한 방역 조치를 실시한다. 오염 지역을 소독하고 환자를 병원으로 이송하여 격리 치료를 진행하였다. 또한 이 질병으로 죽은 시체를 처리하는 일 등도 병행하였다.

홍콩 정부와 동화 병원의 대립

여기서 정부와 민간인들 간의 갈등이 발생한다. 당시는 영국이 식민지 정부를 구성하여 홍콩을 통치하던 시기였다. 정부가 시신을 처리하는 과정에서 산화 칼슘을 뿌리고 풀더미 위에서 태워버리는 것을 본 중국인들에게는 커다란 거부감이 일어났다. 전통 장례에 익숙한 현지인들이 받아들일 수 없는 방식이었기 때문이다. 또한 감염자는 서양식 의료 기관에서 치료를 받도록 했는데, 중의학만 접해 온 민중들은 생소하고 믿기 힘든 서양 의술에 대해서도 반감을 드러냈다.

결국 민간인들의 거부가 행동으로 나타났다. 전염병을 피하는 것이 아니라 홍콩 정부의 방역 조치를 피하기 위해 같은 해 5월 20일부터 매일 천여 명이 광저우로 돌아갔다. 사실 이들 중 상당수는 가는 도중 죽음을 맞이하였지만, 이들은 죽더라도 고향에 가서 중국식 전통 장례를 치르며 죽는 선택을 취하였다. 그리고, 5월 23일에는 시체를 운반하는 사람들이 파업을 하는 사태도 발생한다. 정부는 이 모든 것의 배후 조종자로 동화 병원과 사회 기관인 보량국(保良局)을 지목한다.

성완에 위치한 동화(東華)병원은 1870년에 세워진 홍콩 최초의 한의학 종합 병원이다. 동화병원은 민중들로부터 두터운 믿음과 지지를 받고 있었고 종종 현지 중국인들의 입장을 대변하기도 했다. 하지만 전염병 발생 후 정부의 서양식 공공 의료 정책과 갈등을 일으키며 충돌하게 된다. 1896년, 정부에서 동화 병원에 조사단을 파견하여 시찰케 했는데 위생 상태가 열악하고 병상은 밀집되어 있었으며 통풍도 잘 이루어지지 않는 등 전염병에 취약함을 드러내었다.

홍콩 정부는 이 병원내의 의심 환자들을 서양식 병원에 이송하려 했으나 환자가 반대하면 동화측은 이송을 거부하였다. 결국 정부는 동화병원의 개혁에 손을 대면서 한의학 종합병원에 서구식 의료 체계를 주입하게 된다.

2550명의 사망자를 발생시킨 전염병이 가져온 변화

홍콩에서 전염병이 처음 발생한 1894년, 세균학자들은 이 원흉이 무엇인지 연구했다. 이들이 밝혀낸 몹쓸 질병의 정체는 페스트였다. 쥐에 기생하는 벼룩이 전염시키는 것으로 알려져 있는 페스트는 오늘날 흑사병이라고도 불리운다. 이 유행병은 14세기 유럽을 강타하여 현지 인구 1/3의 목숨을 앗아간 바 있다. 지금도 세계의 일부 지역에서는 풍토병으로 남아 있다.

1894년부터 1896년까지 페스트는 홍콩에서 기세를 떨쳤고 무려 2550명이 목숨을 잃었다. 홍콩 정부의 여러 방역 조치들에도 불구, 페스트는 풍토병이 되어 1923년까지 매년 사망자를 발생시켰다.

홍콩에서 페스트 창궐 이후 정부는 정기적으로 소독을 실시하였고 오염 배수 처리 등의 시설을 강화하였다. 그리고 1894년부터 1905년까지 전염병의 온상이었던 곳에 대대적인 재건 계획을 시행한다. 1911년에는 구룡 야마테이에 또 하나의 종합병원인 광화(廣華)병원이 문을 연다. 외관은 동화병원과 비슷한 중국식 구조로 세워졌으나 의료 설비는 비교적 서양식이었다.

위생에 대한 사람들의 의식도 바뀌게 된다. 공중 위생 관념이 희박했던 당시 사람들에게 전염병 사태는 교훈을 주었고, 중의학을 맹신했던 사람들의 관심도 점차 서양 의학으로 옮겨지게 된다.

120년전의 페스트, 2003년의 사스, 그리고 2022년의 코로나 바이러스까지.. 전염병은 반갑지 않은 유행을 일으키며 사회에 모습을 드러내곤 한다. 이런 질병들은 결국 철저한 개인 및 공중 위생 이행, 정부의 적절한 방역 정책과 조속한 백신 개발 등이 함께 이루어져야 빠른 시일내에 극복이 가능하다.

타임머신을 타고 현재로 돌아오니 이곳 사람들은 또다른 전염병과 싸우는 중이다. 이번 유행의 끝을 기약해 본다.

케네디, 오스틴, 헤네시, 나단 로드..
길 이름에 새겨진 홍콩의 총독들

　홍콩의 영국 식민지 기간인 1842-1997년 동안 28대에 걸쳐 영국에서 파견된 총독들이 홍콩을 통치하였다. 이들은 모두 홍콩을 떠났고 대부분 이 세상 사람이 아니지만 많은 총독들은 이곳에 자신의 이름을 남겨 놓았다. 주로 도로명과 지역명에 말이다. 오늘은 이중 주요 인물들을 만나보는 시간을 가져 본다.

1. 구룡 반도를 점령한 로빈슨 총독 (Sir Hercules Robinson, 재임 기간 1859-1865)

　제 1차 아편전쟁 이후 1842년에 체결된 남경조약에서 홍콩섬이 영국의 통치령으로 넘어간다. 그 후 약 20년 가까이 홍콩섬에는 영국군이, 이를 마주보고 있는 구룡반도에는 청나라가 관할하며 대치하게 된다. 서로를 자극하지 않으며 평화를 유지하지만 영국측의 입장에서는 홍콩섬만을 차지하는 것은 고립된 섬에서의 불안한 상태를 유지하는 것이었다. 결국 로빈슨 총독 재임 시절 구룡성을 공격, 점령한 후 1860년에 체결된 북경조약을 통해 구룡반도까지 영국의 수중에 떨어진다. 미드레벨의 주요 도로인 로빈슨 로드는 1859-1865년간 홍콩을 통치한 로빈슨 총독의 이름으로 명명된 곳이다.

2. 치안 개선에 기여한 케네디 총독 (Sir Arthur Edward Kennedy, 1872-1877)

제 7대 총독으로 재임한 아서 에드워드 케네디는 도로와 지역, 지하철 역에 각각 자신의 이름을 남겼다. 홍콩섬 미드레벨에서 완차이와 어드미럴티에 연결되는 케네디 로드, 그리고 홍콩섬의 북서쪽 끝자락에 위치한 동네 케네디 타운, 또한 홍콩 아일랜드 지하철 종점인 케네디 타운역이 그것이다. 케네디 총독은 재임 기간 동안 경찰의 급여 인상 및 업무 환경 개선 등 홍콩 치안 발전에 기여하였다. 또한 중국인으로 구성된 경찰 부대의 확대에도 힘썼다.

3. 세 명의 총독을 보좌한 존 오스틴 (John Gardiner Austin)

홍콩에서 최고 높이를 자랑하는 구룡 ICC 빌딩의 주소는 웨스트 오스틴 로드 1번지(1 Austin Road West)이다. 오스틴 로드는 국무 총리격인 홍콩 보정사(輔政司)로 10년간 근무한 존 가디너 오스틴의 이름을 딴 도로이다. 그는 보정사로 일하며 세 명의 총독을 모셨고 식민지 지역 개발에 힘썼다. 홍콩섬에서 해발이 가장 높은 곳에 위치한 도로인 빅토리아 피크의 마운트 오스틴 로드, 2009년에 개통된 서구룡의 오스틴 역에도 그의 이름이 아로새겨져 있다.

4. 중국인들에 친화적이었던 헤네시 총독 (Sir John Pope Hennessy, 1877-1882)

헤네시 로드는 소고 백화점 앞을 지나며 코스웨이베이의 중심을 가로지르는 주요 도로이다. 이 도로명에는 홍콩의 8대 총독 존 폽 헤네시의 이름이 붙여졌다. 헤네시 총독은 홍콩을 안정적으로 다스리려면 중국인들의 협조가 무엇보다 필요하다고 느꼈던 것 같다. 이는 곧 그의 재임 기간 중 여러가지 친중화적인 행보로 이어진다.

친중화적이었던 헤네시(Hennessy) 총독 (출처: Wikipedia, Flickr)

그가 부임하기 전인 1842년에는 서양인 보호를 명목으로 중국
인들은 밤 10시 이후 통행이 금지되는 법령이 내려졌었다. 하지만
헤네시 총독은 이를 완화하여 이후 통행 금지 폐지의 초석을 놓았
다. 그리고 서양의 형벌 제도를 도입하여 여러 사람들 앞에서 처벌
하는 공개 형벌 제도도 시행되고 있었는데, 헤네시 총독 때 금지
되었다.

이 외에도 센트럴 지역에서 중국인의 토지 구입 및 빌딩 준공
허가, 중국인의 영국 귀화 및 의원 참여 인정 등 당시로서는 획기
적인 조치들이 속속 발표되었다. 이는 곧 영국인들의 반발을 가져
왔는데, 이로 인해 그가 홍콩을 떠난 지 한참이 되어서야 도로 명
에 그의 이름이 붙여지게 되었다.

5. 구룡 개발 및 대중 교통을 개선시킨 나단 총독 (Sir Matthew Nathan, 1904-1907)

침사추이에서 시작하여 조던, 야마테이로 뻗어가는 3.6km 길이
의 나단 로드(Nathan Road)는 구룡반도의 대동맥이다. 이 도로는
홍콩의 교통 발전에 업적을 남긴 13대 총독 매튜 나단의 이름으로
새겨졌다. 그가 부임중이던 1904년, 지금도 운행중인 홍콩섬의 트
램이 개통되었다. 또한 나단 총독은 구룡-광저우 철로 개설에 강한
의지를 보여 1905년 국회에서 이 사업이 승인된다. 구룡-광저우

철도는 19011년에 완공되었는데, 당시 구룡 지역의 기차 역은 현재 스타 페리가 있는 곳이었다. 이 역은 1978년 이전한 바, 현재 남겨져 있는 침사추이의 시계탑은 당시의 역사를 간직한 중요한 상징이 되었다. 나단 총독은 구룡 반도 지역의 확장 공사도 다수 추진하여 나단 로드 정비 및 이와 연결되는 세부 도로망을 확충하기도 하였다.

매튜 나단(출처:Wikipedia)과 1966년 나단 로드(출처:ZOLIMA CITYMAG)

이 외에도 1888년 빅토리아 피크의 트램을 개통시킨 데브 (George William Des Voeux, 1887-1891) 총독은 홍콩섬의 센트럴-성완-서환으로 이어지는 도로명에 발음하기도 어려운 프랑스식 이름 'Des Voeux Road(데브 로드)'를 남겼다. (선조가 프랑스 출신이다). 술 좀 마신다는 한국 아저씨들에게 '깜마룬도'로 통하는 카메룬 로드는 장교 출신인 총독 서리 윌리암 고든 카메룬 (William Gordon Cameron, 1887)의 이름으로 명명되었다. 미드레벨의 본

햄(Bonham) 로드, 야마테이의 보우링(Bowling) 로드, 완차이의 마쉬(Marsh) 로드 등도 역대 총독의 이름을 간직한 곳이다.

호랑이는 죽어서 가죽을 남기고 사람은 죽어 이름을 남긴다는 말이 동서고금을 막론하고 진리인 것 같다. 도로 곳곳에는 홍콩의 근현대사가 숨쉬고 있다.

홍콩의 현대사를 엿볼 수 있는 책 <13·67>

　오늘은 홍콩의 현대사를 엿보게 해주는 추리 소설 <13·67>을 소개하려고 한다. 이 책은 여러 추리 소설의 장르 중 사회파 추리 소설에 속한다. 이는 사회의 구조적 문제로 인하여 일어나는 범죄를 사용해서 사회적인 문제를 파헤치는 소설이다. 소설적 재미에 빠져 글을 읽으며 자연스럽게 홍콩의 현대사도 알게 되니 일석이조가 아닐 수 없다. 글쓴이는 찬호께이라는 홍콩인 작가인데 일본 추리소설의 신으로 불리는 시마다 소지로부터 "무한대의 재능"이라는 찬사를 들었다고 한다.

　필자는 이 책을 우리 학원의 수강생을 통해서 알게 되었다. 무엇보다 사건이 홍콩의 현대사를 배경으로 했다는 점이 관심을 끌었다. 제목 <13·67>은 홍콩의 1967년부터 2013년 사이 발생한

6개의 에피소드를 다룬 것으로 전설적인 형사 관전둬와 그의 애제자 경찰인 뤄샤오밍 두 사람이 사건을 풀어가는 이야기를 다룬 책이다. 연쇄적으로 일어나는 6개의 사건과 이 두 인물은 허구이지만 사건을 둘러싼 사회적 배경은 대부분 사실이다.

흥미로운 것은 이 6개의 사건의 처음 이야기는 1967년이 아닌 2013년으로, 사건이 시대의 흐름과 역순으로 이루어져 있다는 점이다. 즉, 첫 에피소드는 2013년에 시작되어 마지막 6번째 사건은 1967년에 끝이 난다. 영화 '박하사탕'에서 이야기의 전개가 과거로 거슬러 올라가는 것과 같은 구성이다. 그리고 이 소설이 끝나는 1967년에 발생한 사건이 소설 첫 부분에 등장하는 2013년의 사건과 연결되면서 마지막에 독자의 뒤통수를 치는 반전도 이루어진다.

필자는 이제까지 몰랐던 홍콩의 현대사 및 배경을 영화의 장면들처럼 머릿속에 그려가면서 이 책을 읽어 나갔다. 이 책의 앞부분에 주인공 관전둬를 소개하는 글 중 이런 내용이 있다.

"관전둬는 1960년대의 좌파폭동을 겪었고 1970년대의 경찰과 염정공서(廉政公署, ICAC) 분쟁을 버텨냈으며, 1980년대의 강력범죄에 대항했고, 1990년대의 홍콩 주권 반환을 목도했으며, 2000년대의 사회 변화를 증언하고 있다".

홍콩 사회의 1960대~2000년대의 모습을 간결하고 핵심적으로 짚는 문장인 것 같다. 이중 '좌파폭동'을 이 책의 내용을 인용하여 소개한다.

"1967년 친중국 성향의 좌파들이 문화대혁명의 영향을 받아 홍콩 정부에 대항하는 폭동을 일으켰다. 초기의 파업 시위에서 폭탄 설치, 총격전, 암살 등으로 격렬해졌다. 폭동은 6개월이나 지속됐고 흔히 '67폭동'이라고 부른다. 이 사건으로 51명이 사망하고 800명이 부상당했다. 당시 무고한 시민이 사제폭탄 테러사건에 휘말려 사망한 일이 있었는데, 피해자 중에는 여덟 살, 네 살의 남매도 포함되어 있었다."

현재 홍콩 사회의 혼란과 많이 닮아 있다. 시위 주도 세력이 지금은 '반중'이지만 '67폭동'은 '친중'이었다는 점이 이채롭다.

1970년대의 경찰과 염정공서의 분쟁은 필자가 매우 부러워하는 홍콩의 독립된 반부패기구 염정공서의 탄생 즈음에 발생한 사건이다. 이 소설의 5번째 단편 추리물 '빌려온 공간'은 염정공서의 탄생 배경을 다루고 있다. 위에서 언급한 '1970년대의 경찰과 염정공서의 분쟁'에 대해 작가는 이렇게 주석을 달았다.

"1960~1970년대 홍콩은 부정부패가 만연했다. 홍콩 정부는 1974년 '염정공서'를 설립해 각계의 부정부패를 조사하는 역할을 맡겼다. 1977년 염정공서가 '야우마테이 과일시장 사건'을 조사하는 과정에서 100여 명의 경찰관이 관련된 것이 밝혀져 경찰과 염정공사가 정면으로 충돌했다. 결국 홍콩총독이 특사령을 발표해 사건을 진정시켰다."

염정공서가 설립되었을 때 경찰들과의 크고 작은 마찰과 충돌이 있었다. 이런 갈등을 겪으며 염정공서는 오늘날의 홍콩을 청렴하게 만드는데 크게 기여하게 된다.

소설 <13·67>은 추리 소설 특유의 가독성과 흡입력뿐만 아니라 홍콩의 현대사도 읽게 해 주는 보너스도 제공한다. 사건 발생 지역이 정관오, 노스포인트, 센트럴, 몽콕 등 우리 교민들에게도 익숙한 곳이다. 필자는 이 책을 읽는 동안 작가가 구체적으로 언급한 장소를 방문해 보고 싶은 생각이 들기도 했다.

한국의 유명한 영화 평론가 이동진 씨가 진행하는 팟 캐스트 '빨간 책방'에서도 이 책이 소개가 됐다. 그는 <13·67> 영화로 제작한다면 유덕화가 주인공으로 좋을 거 같다는 생각을 밝히기도 했다.

홍콩 현대사의 격동기를 배경으로 한 <13·67>을 한국 교민들에게 추천한다. 이 글을 읽으며 타임머신을 타고 홍콩의 예전 거리를 걷는 기분을 체험해 볼 수 있을 것이다.

제2장

•

홍콩의 사회·문화 이야기

친절? 불친절?
홍콩 사람들의 친절도

    홍콩에 살고 있는 한인들과 홍콩 사람들의 친절도에 대해 종종 얘기하곤 한다. 주관적인 문제이긴 하지만 이제까지 대답들을 종합해 보면 '그렇게 친절하지는 않은 것 같다', '서비스업의 경우 한국만큼 친절하지 않다'라는 반응이 주류를 이루고 있다. 또한 내 돈 내고 내 물건 사는데 기분 나쁜 경우도 있다는 말을 들은 적도 있다. 그 이유에 대해서도 얘기를 해 보면 홍콩이 관광 도시이기 때문에, 많은 외국인들이 머물다 가는 경우가 많은 곳이기 때문이라는 의견이다. 즉, 장기로 거주하지 않는 외국인들이 많다 보니 단골 개념의 서비스 정신이 부족하다는 생각일 것이다. 한편으로 상대적으로 한국의 고객들이 까다롭기 정평이 나 있기 때문에 한국에 있는 상점, 특히 백화점에서 느끼는 친절함 등과 자연스럽게 비교가 되는 것도 이유일 것이다.

　그러나 한국을 여행한 홍콩 사람들의 말을 들어보면 반드시 그렇지도 않은 것 같다. 홍콩인들이 한국의 상점이나 식당에 갔을 때 의외로 불친절함을 경험하는 사례들을 종종 들었다. 예를 들면 한국 식당에는 2인분 이상을 파는 음식들이 꽤 많은데, 혼자 가서 주문할 때 불친절한 안내를 받거나 심지어 쫓겨나다시피 하는(?) 경우도 있다 한다. 그래서 여행의 즐거움 중 큰 부분을 차지하는 식사 일정 중 기분이 상했다는 홍콩 사람의 말을 듣고 내가 미안해했던 경험도 있다. 물론 '한국 사람들 친절해요'라고 추켜세우는 홍콩 사람들도 없는 것은 아니다.

　이런 사례들을 봤을 때 반드시 홍콩 사람들이 꼭 한국 사람들보다 불친절하다고 할 수는 없을 것 같다. 그리고 홍콩 서비스업 종사자들의 딱딱한 표정과 말투가 반드시 그들의 속마음을 드러내는 것이 아니다. 이와 관련된 나의 일화를 하나 소개한다.

　한번은 한국 사람들이 좋아하는 남기(南記) 국숫집에 가서 주문을 한 적이 있다. 이곳은 카운터에서 먼저 국수를 주문하는데, 이때 원하는 토핑, 매운 맛의 정도 등을 미리 얘기하고 계산을 치른 후 주방 앞에서 국수를 받아오는 시스템이다. 그런데 깜빡하고 내가 빼고 싶은 것을 말하지 않고 주문을 끝냈다. 바로 '아차'하고 뺄 줄 것을 요구했지만 카운터의 아가씨는 굳은 얼굴로 "이미 주방에 주문이 들어갔어요!"라고 목소리를 높여 귀 어두운 노인네에게 얘기하듯 말했다. 내가 머쓱해서 그냥 안으로 들어가려 할 때였다. 이 아가씨는 "지금 주방에 가서 직접 얘기하면 늦지 않았으니 그 거 빼 줄 거예요!"라고 고마운 조언(?)을 건네는 것이 아닌가. 그런데 거절의 말과 지금 조언의 말을 할 때 얼굴 표정과 말투는 미세한 차이도 느낄 수 없을 정도로 똑같았다. 나는 그냥 먹겠다고 말했지만 그 아가씨는 "메이꽌시야(괜찮아요). 지금 주방에 얘기하면 늦지 않았어요!"라고 다시 한 번 큰 목소리로 상기시켜줬다. 나는 그때 느낄 수 있었다. 이 직원은 늦게 말했다고 나에게 짜증을 낸 것이 아니라 원래 표정과 말투가 이런 거구나. 그녀는 비록 태도의 차이이긴 하지만 자신이 해야 할 '서비스 업무'를 자신만의 방식으로 충실히 '이행'하고 있었다. 사실 홍콩에 16년 살다 보니 이런 직원들을 적지 않게 만날 수 있었다.

홍콩의 친절도가 세계 최고 수준이라고 말할 수는 없다. 따라서 홍콩의 서비스업 종사자들에게 따뜻한 미소와 부드러운 말투를 기대하지는 말라. 그리고 이들의 딱딱한 표정과 말투에 기분 나빠하지도 말라. 이들은 당신에게 짜증을 내거나 화가 난 것이 아니고 서비스하는 방식이 '원래' 그런 것이니 오해하지 말자. 사실 친절도는 여러가지 측면으로 볼 수 있는데 논란의 여지가 있는 상점이나 식당과는 달리, 거리에서 홍콩 사람들에게 길을 물어 봤을 때 이들은 대개 친절하게 잘 안내해 준다는 것을 경험했을 것이다.

또한 길에서 부딪치거나 길을 비켜달라고 할 때 이곳 사람들은 "sorry"라는 말을 입에 달고 다닌다. 이들은 오히려 한국에서는 사람을 치고 지나가도 왜 미안하다는 말도 하지 않고 그냥 가냐고 나에게 물어본다.

나는 얼마 전 동네 악기점에 가서 저렴한 기타를 하나 골라 사게 됐는데, 직원의 시종일관 친절한 안내에 고마움을 느낀 적이 있었다. 나는 돈을 지불하며 "참 친절하시네요"라고 하면서 평소에 잘 하지도 않는 말을 건넨 후 그곳을 나왔다. 그 친절함에 작은 보상이 되었으면 하는 바람이다.

홍콩 사람들이 좋아하는 선물,
싫어하는 선물

세계 어디서나 그러하듯 홍콩 사람들도 적절한 상황에서 각자의 뜻을 담아 선물을 주고받는다. 한국 교민들도 홍콩에 살면서 이들에게 선물을 준비해야 하는 상황이 있을 것이다. 필자도 홍콩에 16년 살면서 이들로부터 고마운 선물도 많이 받았고, 반대로 그들에게 감사의 마음을 담아 전달하곤 했다. 홍콩 사람들은 어떤 선물을 좋아하고 어떤 선물을 싫어하는지 알아보자.

우선 홍콩 사람들은 언제 선물을 주고받는지 살펴봐야 할 것이다. 전통 명절 중에서는 설, 추석 등을 빼놓을 수 없다. 그리고 서양 문화인 크리스마스에는 파티 모임을 많이 하는데 이때 서로 선물을 교환하고, 발렌타인 데이에는 커플들이 연인에게 줄 선물을 준비한다. 이 외에도 생일, 출생 한 달 후인 만월(滿月), 집들이 때에도 마음을 담아 선물을 전달한다.

그럼 홍콩 사람들에게 가장 인기있는 선물은 무엇일까? 물론 사람에 따라 호불호가 있지만 여러 홍콩인들의 선호도를 보면 가장 무난하게, 그리고 누구나 좋아할만한 것은 상품권이나 쿠폰을 들 수 있다. 소고(Sogo) 등 백화점 상품권, 시티 슈퍼(City Super) 같은 고급 슈퍼마켓 쿠폰이 인기가 있다. 아니면 가장 일반적인 웰컴(Welcome) 등 슈퍼마켓 쿠폰도 괜찮다. 그리고 브로드웨이 (Br-oadway), 포트리스(Fortress) 등 가전, 전자 제품 판매 업체의 쿠폰도 인기가 많다. 받는 사람이 어디에 사는지 알면 주거지 가까운 지역에 있는 백화점이나 슈퍼마켓의 상품권은 최고의 선물이 될 수 있다. 금액은 HK$500 ~ HK$2,000정도가 적절하다.

명절의 경우 설날에는 미혼자들에게 세뱃돈인 홍빠오를 준비하는데, 추석에는 과일을 선물하면 좋다. 집들이에는 와인이나 먹거리 등이 무난하다. 홍콩 사람들은 초대한 주인에게 필요한 게 무엇인지 물어보고 준비하기도 한다. 휴지, 세제를 집들이 선물로 하는 문화는 홍콩에 없으므로 이것들을 선물로 받게 된다면 집주인은 황당해할 것이다. 이와 같이 선호도가 높은 물품 외에도 한국 제품을 선물하는 것도 특별한 선물이 될 수 있다. 홍콩 사람들에게 한국 인삼은 유명하다. 인삼 제품을 준비하거나 한국 과일 등을 전해주면 상대방은 고마움과 함께 기쁨도 느낄 것이다.

좋아하는 선물이 있으면 환영받지 못하는 선물도 있다. 이런 것들은 집에 이미 있거나 실용적이지 못한 물건들이다. 그중 사진을 넣는 액자는 많은 홍콩 사람들이 이구동성으로 안 받았으면 하는 아이템으로 꼽고 있다. 집에 보통 많이 있는 컵도 그렇다. 이외에 여자들의 핸드 크림도 이미 많이들 갖고 있으므로 환영받지 못하는 선물 순위에 들어간다. 명절의 경우를 보면 추석 때 많이 주고받는 월병도 의외로 현지인들에게 인기가 별로다. 또한 부피가 큰 선물은 신중해야 한다. 필요가 없는 경우 그렇지 않아도 좁은 홍콩인들의 주택에 공간만 차지하는 애물단지로 전락할 수 있다.

그리고, 전통적으로 금기시되는 선물도 있다. 중국에서는 많은 한자수에 비해 한정된 발음 체계로 인해 한자는 다르지만 발음이 비슷하거나 같은 '시에인(諧音)' 현상이 많다. 중화권에서는 특히 좋은 의미 혹은 안 좋은 의미를 갖는 단어와 연관된 '시에인' 현상에 민감해한다. 대표적인 것이 시계이다. 시계를 '쫑(鐘)'이라고 하고 시계를 선물하는 것을 '쏭쫑(送鐘)'이라 한다. 이것은 죽은 사람을 옆에서 지킨다는 '쏭쫑(送終)'과 발음이 겹친다. 하지만 손목시계는 '비유(錶)'라는 단어를 사용하여 선물 금지 목록에서 제외된다. 신발(鞋)도 선물로 좋지 않은데, 광동어로 발음하면 낮은 음의 '하이..'가 되어 안 좋은 상황에 내는 탄식처럼 들리는 것과 관계가 있다. 또한 책을 뜻하는 '쉬(書)'는 '지다, 잃다'의 의미를 갖는 '輸'와 발음이 겹쳐 잘 선물하지 않는다. 이 외에도 받는 사람에 따라 호불호가 갈리는 선물도 있다. 대표적인 것이 초콜릿

이나 쿠키, 펜, 지갑 등이다.

좋은 선물은 적절성과 필요도에 따라 비용 이상의 가치를 갖을 수 있기 때문에 기왕이면 상대방에게 꼭 필요한 것을 준비하는 것이 금상첨화다. 반대로 좁은 거주 면적 때문에 늘 공간 활용에 신경을 쓰는 홍콩 사람들에게 '선물'이 아닌 '고민'을 선사한다면 돈을 쓰고도 환영 받지 못하는 상황이 된다. 홍콩 사람들에게 선물을 준비해야 하는 경우 위 내용이 도움이 되었으면 한다.

나는 홍콩 사람,
너무 매운 거 싫어요

홍콩 생활을 하며 현지인들을 접대할 일들이 생기곤 한다. 이때 우리가 한국 사람이므로 이들을 한국 식당에 초대할 수 있다. 한국 식당에서의 접대라면 한국 음식의 특징상 매운 요리들이 식탁에 많이 올라오게 된다. 꼭 한국 음식이 아니더라도 태국 식당, 멕시코 식당, 중국의 사천 식당에서 식사를 하게 된다면 매운 음식이 빠질 수 없다. 그런데 홍콩 사람들은 과연 매운 음식을 잘 먹을까?

필자가 많은 홍콩 사람들과 식사를 하며, 혹은 이들과 얘기하며 느낀 것을 통계로 한다면 약간 매운 음식을 먹을 수 있는 사람은 약 50%, 한국 사람처럼 매운 음식을 잘 먹는 사람은 25%, 매운 음식을 전혀 못 먹는 사람은 25% 정도인 것 같다. 약간 매운 음식을 먹는 50%는 말 그대로 '약간'의 매운 정도이기 때문에 실제로는 잘 못 먹는 축에 속한다. 즉, 약간의 매운 음식을 먹을 수는 있지만 그렇게 즐기지는 않는 것이다. 얼큰하고 알알한 자극적인 음식을 잘 먹는 한국 사람 기준으로 봤을 때는 이곳 사람들은 매운 것을 잘 못 먹는 편이다.

홍콩 사람들이 어렸을 때부터 먹고 자란 광동 음식에는 매운 맛의 요리들이 거의 없다. 광동 음식의 특징은 여러가지 풍부한 재료를 이용한 다양한 종류의 요리이며 맛이 자극적이지 않다. 그리고 중국의 쓰촨이나 후난 요리처럼 고추나 마라를 많이 사용하지 않는다. 따라서 이런 음식에 길들여진 식습관으로 홍콩인들에게 매운 맛은 익숙하지 않다.

홍콩에는 중국의 대표적 요리라는 광동, 상하이, 베이징, 쓰촨 등 중국 각지의 풍미를 맛볼 수 있는 식당들이 있다. 가장 많은 것은 아무래도 광동 식당이며 그 다음으로 많이 보이는 중국 식당은 상하이 식당이다. 상하이 음식은 맵지 않고 달짝지근한 맛을 특징으로 한다. 그리고 베이징 식당과 쓰촨 식당은 광동, 상하이 식당에 비해 상대적으로 눈에 많이 띄지 않는 편이다. 베이징 음식은 간장을 많이 사용하여 맛이 강하고 쓰촨 음식은 마라를 주성분으로 한 매운 맛으로 홍콩 사람들에게 익숙한 맛은 아니다. 중국에서 매운 음식으로 둘째가라면 서러운 후난 식당도 홍콩에서는 보기가 쉽지 않다. 후난 음식은 중국의 4대 요리 안에는 못 들지만 8대 요리 안에는 드는 중화권의 유명한 음식 중 하나이다.

필자는 홍콩에서 초창기에 주재원 생활을 4년 했는데, 영업 관리가 주요 업무였기에 홍콩 사람들을 접대할 기회가 많았다. 한번은 한 기업 내에서 아버지가 사장으로 있고 그 아래서 경영 수업을 받고 있는 딸, 즉 부녀를 쓰촨 식당에 초대한 적이 있다. 그때 칠리 새우를 주문하여 식사를 하였다. 말이 '칠리'일 뿐 한국 사람 기준으로 '일(1)도' 맵지 않은 음식이었다. 그런데 나는 내 눈 앞에 펼쳐진 풍경에 눈이 휘둥그레졌다. 두 모녀는 약속이나 한 듯 똑같이 새우를 집어 들고 컵에 든 물에 씻어 먹는 것이 아닌가! 순간 아차 싶었다. 이 부녀는 위에서 언급한 매운 음식을 전혀 못 먹는 25%에 해당하는 사람들이었다. 이분들에게 특별한 것을 대접하고 싶었었는데 결국 장소 선택이 잘못된 것이다. 그 다음부터 홍콩 사람들을 식사에 초대할 때, 특히 한국 식당에서 식사하게 될 때 매운 음식을 먹을 수 있는지 반드시 확인부터 하게 되었다.

지난번 언급한 바 있는 '남기(南記)'라는 국수집은 매운 정도를 선택해서 먹는다. 이 식당은 그래도 홍콩에서 매운 맛을 좀 먹는 사람들이 오는 식당이다. 나는 줄을 서면 앞에 있는 홍콩 사람들이 어떤 매운 맛을 선택하는지 관심을 갖고 지켜보는데 보통 '시우라 (小辣, 약간 매운맛)'가 가장 많다. 물론 이곳에는 다양한 메뉴가 있어 아예 맵지 않은 국수 종류를 선택하는 사람도 있다. 홍콩의 슈퍼마켓에 진열되어 있는 신라면도 한국의 신라면 보다 덜 맵다는 것은 이미 알려진 사실이다. 나도 줄곧 이곳 신라면을 먹다가 한국에 가서 원조 신라면을 먹고 엄청 땀을 흘린 적도 있다. 태국 음식도 원래 맵지만 홍콩의 태국 식당에서 먹는 음식들은 그 정도가 많이 약하다. 이곳 사람들의 입맛에 맞게 현지화된 느낌이다.

한국 식당에 홍콩 사람들을 초대하여 '매운 음식 괜찮아요?'라고 물어보면 "약간 매운 거는 괜찮아요"로 대답하는 사람들이 많았다. 하지만 위에서 언급한 것처럼 매운 것을 아예 못 먹는 사람들도 있기 때문에 홍콩인들을 접대할 때 사전에 매운 음식을 받아들일 수 있는 정도를 꼭 확인해야 한다. 한국 음식이 홍콩에서 인기가 있고 많은 사람들이 즐겨 먹지만 맵지 않거나 덜 매운 음식을 선호한다. 세계 최강의 미각을 자랑하는 홍콩인들이지만 매운 음식 앞에서는 작아진다.

홍콩 식당 문화와 한국 식당 문화, 뭐가 다를까?

여러분은 홍콩에서 한국과 다른 식당 문화로 당황스러움을 경험한 적이 있는가? 내가 홍콩에 온 지 얼마 안 됐을 때의 일이다. 코스웨이베이의 한 작은 일본 식당에 혼자 점심을 먹으러 갔다. 그런데 종업원이 가로 세로 약 1미터 남짓한 식탁으로 나를 안내했는데 순간 당황스러운 상황과 맞닥뜨리게 되었다. 그 식탁에는 한 젊은 여자가 식사를 하고 있는 것이 아닌가. 모르는 사람과 한 식탁에, 조금만 고개를 숙이면 머리 뽀뽀도 가능할 것 같은 지근거리에 마주보고 앉게 하다니.. (기분은 살짝 좋았다^^). 그 여자는 나에게 전혀 관심이 없었겠지만 나는 수시로 입을 닦으며, 또는 고개 숙일 때는 머리에 신경 쓰며 밥이 입으로 들어가는지 코로 들어가는지 모르게 식사한 기억이 있다.

홍콩에 살면서 이곳의 식당 문화가 한국과 다른 것이 적지 않음을 느끼게 되었다. 식당에 들어갈 때부터 나올 때까지 시간별로 구성하여 비교해 보자. 일단 무엇을 먹을지 메뉴를 골라야 하는데 한국은 유독 전문 식당이 많고 그런 식당은 메뉴가 한정되어 있다. 'OO냉면', 'OO부대찌개', 'OO족발', 'OO갈비' 이런 식이다. 이에 반해 홍콩에서는 웬만한 식당이라면 멀티플레이어 주방장이 엄청나게 다양한 음식을 마술봉을 휘두르듯 뚝딱하고 만들어낸다.

식당을 선택하여 문을 들어서게 되면 한국에서는 우선 종업원들의 인사 소리를 듣게 된다. 반면 이곳의 직원들은 인사는 생략한 채 일행이 몇 명인지 인원수를 먼저 물어본다. 이때 식당에 당당하게 들어가 빈 자리에 아무데나 앉는 우리 동포들이 있는데 먼저 인원수에 따른 자리 배정을 받아야 한다. 이 과정에서 위에서 언급한 대로 처음 보는 사람과 한 테이블에서 마주 보며 식사를 할 수도 있다. 한번은 이에 익숙한 한 홍콩 사람이 한국에 여행가서 이런 경험을 했다고 한다. 식당에 들어가 홍콩에서 하던 대로 사람들이 자리잡고 있는 식탁 앞에 턱 앉은 것이다. 종업원 아주머니가 놀라며 "어머, 저쪽에 빈자리 많아요. 왜 사람 있는데 앉아요?"라고 했다나.

착석 후 중국 식당에서는 먼저 차를 주문한다. 이때 일행이 다 안 왔다는 이유로 "좀 있다 시킬게요"라고 말하는 것은 이곳 식당 문화에 맞지 않는다. 내가 먼저 와서 기다릴 때에도 일단 차는 먼저 시켜야 한다. 반면 한국에서는 식당에 들어가 앉으면 먼저 물이 올라온다. 한국 식당의 물은 무료, 홍콩의 차는 유료이다. 그런데 한국 여행을 갔다 온 홍콩 사람들이 종종 물어보는 것이 있다. "한국 음식점에서는 왜 추운 겨울에도 찬물을 줘요?" 따뜻한 차를 마시는 습관이 일상화되어 있는 홍콩 사람들에게는 익숙하지 않은 문화이다. 그런데 나의 지인이 한번은 여름에 홍콩에 와서 같이 식사를 하러 갔는데 "아니, 이 나라는 이 더운 날에도 뜨거운 물을 주네"라고 말해 찬물을 따로 요청한 적이 있다. 한국은 추운 겨울에도 찬물을, 홍콩은 더운 여름에도 뜨거운 물을.. 재미있는 한국과 홍콩 식당의 문화 차이이다.

그리고 나서 반찬이 나온다. 홍콩의 식당에서는 반찬은 거의 나오지 않으며 어쩌다 한두 개 나오는 것은 모두 유료이다. 이에 비해 한국의 식당은 보기에도 좋게 반찬들이 줄을 지어 올려진다. 홍콩 사람들은 이 점을 좋아한다. 무료이기 때문이고 추가도 가능하다.

식사가 시작되며 즐겁게 얘기도 나누다 보면 홍콩에서는 어느새 90분 룰을 의식해야 한다. "식사는 90분 안에 끝내셔야 돼요" 전화로 예약을 하면 종종 듣는 레퍼토리이다. 한국의 식당에서도 사람들이 줄 서있는 인기 음식점의 경우 다 먹었으면 눈치껏 일어나야 하지만 일반적으로 시간의 구애를 받지는 않는다.

자, 식사를 다 마치고 계산을 해야 한다. 홍콩은 보통 앉은 자리에서(작은 식당은 카운터에서 하기도 한다), 한국은 카운터에 가서 계산한다. 홍콩 생활에 익숙한 나는 예전에 한국에 가서 "여기요! 계산할게요"라고 말했다가 아내에게 옆구리를 찔린 적이 있다. "여기가 홍콩이야?" 앗, 그렇군 ^^;;

그리고 홍콩에서 계산서를 받으면 보통 음식값의 10% 봉사료(service charge)가 떡하니 붙어 있는 것을 보게 된다. 흠, 10% 가치의 서비스를 받기는 한 건가.. 하지만 어쩌겠는가. 로마에서는 로마 법을 따라야지.

이상 한국과 홍콩의 식당 문화 차이를 정리해 보았다. 문화의 차이를 이해하는 것은 한편으론 재미있지만 신경 써서 지켜야 하는 부분도 있다. 특히 홍콩에 온 지 얼마 안 된 교민이라면 위와 같은 차이점들을 참고하여 현지의 식당 문화에 익숙해지자.

홍콩 사람 결혼식에
초대받았어요

한국과 홍콩 모두 결혼식의 계절이다. 홍콩은 날씨가 선선해지는 10월, 11월에 결혼 날짜를 많이 잡는다. 내가 처음으로 홍콩 사람의 결혼식에 초대받았던 것은 주재원 시절이었다. 거래처 사장님 아들의 결혼식이었는데, 한국과 비슷하면서도 다른 풍경들이 있었다. 초저녁에 시작된 결혼식은 10시가 넘어서야 끝이 났다. 일반적으로 결혼식이 끝난 후 식당에서 식사를 하는 한국과는 달리 홍콩은 결혼식과 식사가 큰 홀에서 동시에 이루어진다. 그때도 약 8~10명이 앉을 수 있는 커다란 원 테이블이 놓여져 있었고 손님들이 앉는 자리도 정해져 있었다.

결혼식이 시작되면 얼마 후, 한국에서는 주례가 일장 연설을 한다. 반면 홍콩의 경우 주례사 없이 변호사가 동석하여 하객들이 지켜보는 가운데 결혼증서에 사인을 하는 장면이 이채로웠다. 그리고 어렸을 때부터 지금까지의 사랑스러운 모습을 담은 신랑, 신부의 여러 사진들이 프로젝터를 통해 영화의 장면들처럼 상영된다. 나중에 홍콩 사람들의 결혼식에 몇 번 더 가게 되었는데 결혼증서 사인 및 사진 상영은 빠지지 않는 순서 중의 하나였다. 대신 축가는 없다.

그런데 포크와 나이프, 젓가락과 숟가락 등이 고급스럽게 놓여 있는 테이블 위에 아무리 시간이 지나도 음식이 올라오지 않는 것이었다. 배고픈 배를 움켜쥐며 요리를 기다렸건만 8시가 한참 지나도 음식은 나올 기미가 보이지 않았다. 허기에 지쳐갈 무렵 드디어 쟁반을 든 웨이터들이 행진하듯 장관을 이루며 입장하면서 첫 음식이 내어져 왔다. 이곳 사람들이 좋아하는 숫자 8은 식장에서도 무관하지 않은데, 보통 8가지 코스 요리가 나온다. 그리고 이 8개 코스 요리는 상당한 간격을 두며 천천히 올려진다. 고가의 샥스핀 요리도 포함되어 있었다.

결혼식 시작 후 한참만에 시작되는 식사 문화를 알게 된 후, 그 다음부터는 식장에 가기 전에는 뱃속을 간단히 채우곤 한다. 저녁 결혼식은 보통 10시가 한참 넘어서 하객과의 기념 촬영으로 끝이 나는데, 보통 기념 사진만 30분 정도 찍는 것 같다. 이 긴 시간 내내 웃고 있어야 하는 신랑, 신부에게는 정말 수고가 많은 결혼식이라는 생각이 든다.

우리 교민들도 홍콩인들의 결혼식에 참석할 기회가 있을 것이다. 홍콩에서는 결혼을 전문적으로 하는 웨딩 홀이 따로 없고 보통 호텔이나 중국 식당, 혹은 교회 등에서 한다. 청첩장을 전단지 뿌리듯하는 한국과는 달리 홍콩에서는 정말 가까운 사람들에게만 청첩장을 건넨다. 신부는 청첩장 안에 보통 케이크 쿠폰을 넣어 하객들에게 전달한다. 그리고 하객으로서 청첩장을 받는다면 초대한 측에 참석 여부를 반드시 알려줘야 한다. 음식 비용이 한 두푼짜리가 아닌 1인당 HK$1,000 정도의 고가라서 정확한 하객 수를 파악해 야 하기 때문이다. 축의금의 경우 중국 식당에서 결혼을 하면 보통 HK$1000, 호텔은 HK$1200~1500정도 준비하는데, 식사비가 비싼 만큼 축의금 액수도 한국보다 높다. 만약 참석이 어렵더라도 청첩장을 받았다면 축의금 금액의 50%를 내는 것이 보편적 결혼 문화이다.

가장 주의할 것은 축의금 봉투 색깔이다. 한국에서처럼 하얀색 봉투를 준비한다면 정말 큰 실례가 아닐 수 없다. 홍콩에서 하얀색 봉투는 결혼식 축의금이 아닌 장례식 조의금으로 사용되기 때문이다. 실제로 우리 학원에 다녔던 젊은 한국 여자분은 홍콩 사람 결혼식에서 흰색 봉투를 내밀었다가 퇴짜를 받은 적이 있었다고 한다. 홍콩 사람들이 좋아하는 색깔인 빨간색이 축의금 봉투의 색깔로 무난하다.

그리고 여러 바쁜 이유로 눈도장만 찍고 바로 사라지는 한국의 하객들과는 달리 홍콩에서는 초저녁에 시작해 밤늦게나 끝나는 결혼식을 끝까지 함께한다. 하객들의 성의가 느껴지는 좋은 문화인 것 같다. 홍콩의 결혼식에 가 보면 테이블 배치나 분위기 등이 중간에 도망(?)치기 어렵게 되어 있기도 하다.

결혼식이 보통 밤늦게 끝나다 보니 신혼 여행은 다음날 가거나 아니면 신랑, 신부가 바빠 아예 몇 개월 후로 미루는 경우도 많다. 최근에는 낮에 결혼을 하는 커플들도 증가하고 있지만 당일에 신혼 여행을 가는 일은 극히 드물다. 그리고 이런 서양식 결혼 외에도 중국 식당에서 전통 스타일로 식을 올리기도 한다.

자, 그럼 정리를 해 보겠다. 결혼 초대의 청첩장을 받았는가? 그럼 참석 여부를 꼭 알려주고 참석시 빨간색 청첩장 안에는 HK$1000~1,500을, 불참시는 이것의 50%를 보낸다. 출발 전 간단한 요기를 하며 하객 복장은 캐쥬얼하게 입기도 하나 셔츠와 정장 바지, 드레스 정도면 무난하다. 중간에 자리를 뜰 생각은 접으시고 좋은 시간을 끝까지 함께하겠다는 마음으로 식장에 향하도록 하자.

접대를 위한
중국 요리 주문의 팁

　오늘은 좀 생뚱맞은 질문으로 이야기를 시작해보겠다. 아이돌 걸그룹과 중국 음식의 공통점이 무엇일까? 그것은 바로 '비주얼 담당'이 필요하다는 것이다. 여러 명의 아이돌이 무대에 올라와 노래와 춤을 추면 그중에 비주얼 담당이 있다. 마찬가지로 여러 음식이 올라오는 중국 식당의 식탁 위에도 비주얼 담당이 있어야 한다.

　한번은 대학 때 모셨던 중국어과의 교수님이 홍콩을 방문하신 일이 있었다. 나의 박사 과정 입학을 위해 기꺼이 추천서를 써 주셨던 분이라 보답하고 싶은 마음으로 좋은 중국 식당에 모시고 갔다. 그때 그분으로부터 중국 음식을 주문할 때 도움이 되는 한 가지 팁을 전수받았다. 그것은 '가장 인상적인 것' 하나를 시키라는 것이었다. 결정적인 한 방 말이다. 즉, 여러가지 음식들이 차례로 올라오는데 그중 '와~'하는 탄성이 나오게 하는 인상적인 음식이다. 이것이 바로 '비주얼 담당'이다. 이 요리가 상에 올려짐과 동시에 여기저기서 사진을 찍어대고 이것을 주문한 접대자는 살며시 입꼬리가 올라가게 된다. 이런 요리들은 손님들의 기억에도 오래 남아 "그때 OO 요리 정말 인상적이었어요"라며 다시 만났을 때 당시를 상기시키는 효과도 갖게 한다. 비주얼 담당의 인상적인 요리로는 가루파 생선찜, 덩치가 큰 게 요리, 직접 옆에서 썰어 주는 오리구이 등을 꼽을 수 있고 이 외에도 식당에 따라 다양하다.

특히 주재원들의 경우 접대가 많다. 접대는 결코 소홀할 수 없는 일과의 연장선에 있어 꽤나 신경이 쓰인다. 이를 위해 자주 가는 단골 식당을 개발해 두는 것이 좋다. 그리고 이곳에서 잘하는 음식들을 알아 둔다면 손님 접대에 큰 도움이 된다.

하지만 같은 곳만 가면 두 번 이상 방문한 손님들은 식상해하므로 새로운 곳도 개발해야 한다. 그런데 대접하는 사람도 처음 가는 곳에서 바로 손님 접대를 하면 시행착오를 겪을 확률이 높다. 따라서 직원들끼리, 혹은 가족들과 먼저 가서 스스로 실행 대상이 되어 이것저것 시켜봐야 한다. 이런 식당들은 대개 다른 사람의 추천을 받아 가는 곳인데, 홍콩 사람들이 신봉하는 식당 평가 사이트인 '오픈라이스(OpenRice)'를 참고하여 정보를 알아보는 것도 좋다.

만약 손님과 단 둘이 중국 식당에 가면 양이 많은 중국 음식의 특성상 주문하기가 애매하다. 이때는 2인용 세트 메뉴가 좋다. 두 명이서 여러가지 음식을 비교적 합리적인 가격으로 먹을 수 있고 음식의 맛도 무난하다. 여럿이 가더라도 그 식당의 음식에 대해 잘 모를 때 세트 메뉴를 시키게 되면 평타는 친다. 어떤 식당들은 세트 메뉴의 일부 음식을 손님이 원하는 걸로 바꿔주기도 한다.

나의 주재원 시절 가끔씩 출장오셨던 본사 사장님은 중국 음식을 좋아하고 격의 없는 스타일이었다. 주재원으로서 모시기 편한 분이었다. 이분은 재미있는 취미를 갖고 있었는데, 식당에 모시고 가면 착석 전 항상 식당 안 테이블을 쭉 둘러보시며 "저거 한 번 먹어보자"하며 다른 사람이 먹고 있는 음식 중에 맛있어 보이는 것을 시키도록 했다. 이런 방법은 우리가 잘 몰랐던 중국 음식을 주문해 볼 수 있는 좋은 팁인 것 같다.

세트 메뉴가 아니라 따로따로 주문을 한다면 같은 종류가 겹치지 않는 것도 중요하다. 예를 들면, 육류를 시킬 때 돼지고기류를 2개 시킨다거나 닭고기와 오리고기를 같이 주문하여 가금류가 2개 올라오는 것도 좋은 주문 방법은 아니다. 홍콩의 해산물 식당도 접대로 좋은데, 그렇다고 해산물만 시키는 것은 가격만 올라가고 양은 적어 비효율적이다. 해산물 전문 식당에서도 육류 등을 식탁에 올려 양과 비용의 균형을 맞춰 주는 것이 좋다.

따라서 제일 좋은 것은 소고기, 돼지고기, 닭고기 등 육류 중 2개 정도, 버섯이나 두부, 기타 푸른 채소가 포함된 야채류와 해산물(새우, 게, 조개류, 생선) 각각 1~2개, 탕과 만두 종류 등 기타 요리를 추가하고 주식은 밥이나 면으로 하면 된다. 디저트도 2인당 하나 정도로 주문하여 그날 식사를 마무리한다. 최근에는 중국 음식 중에 퓨전 스타일도 많아 이런 요리들을 찾아보는 것도 좋을 것이다.

멀리서 온 손님들은 기대도 많고 한 번 오기도 쉽지 않으니 접대에 소홀할 수 없는 노릇이다. 특히 업무 평가의 일부에도 포함되는 본사 임원 접대, 비즈니스 성사에 영향을 줄 수 있는 거래처와의 만찬 등에 있어서 식사 대접의 중요성은 아무리 강조해도 지나치지 않다. 친지들의 방문시도 마찬가지이다. 나의 경험에 비추어 보면 음식 주문 시 겪게 되는 시행착오는 하나의 통과 의례인 것 같다. 위에 언급한 내용들이 이런 실수를 줄이는데 작은 도움이 되길 바라는 마음이다.

홍콩인이 사랑하는
홍콩의 유명인은?

　나는 평일 저녁과 주말에 HKU SPACE(홍콩대학교 전업진수학원)에서 홍콩 사람들과 외국인들에게 한국어를 가르치고 있다. 주로 중, 고급반을 담당하고 있는데, 2010년부터 수업을 했으니 벌써 10년이 훌쩍 넘었다.

　수업 시간에는 쓰기 숙제와 발표 등의 과제가 부과된다. 그중 오랫동안 지속되어 온 주제 중 하나가 '홍콩의 유명인 소개'이다. 이로 인해 홍콩 사람들이 어떤 유명인을 사랑하는지 이해할 수 있게 된 바, 여러 해 동안 기억속에 누적되어온 수치로 매겨진 1~5위까지를 정리해 본다. 홍콩 사람들이 사랑하는 홍콩의 유명인들은 누구일까?

1위: 주윤발

한국에서도 인기가 많은 주윤발은 홍콩 사람들에게도 큰 사랑을 받고 있다. 그 이유로는 소탈하고 친서민적인 성향을 들 수 있다. 주윤발의 이런 면은 한국의 언론에도 많이 알려졌다. 얼마 전 홍콩에 온 지 얼마 안 된 중년의 한국분이 우리 학원의 중국어 시간에 "주윤발을 만나려면 어디에 가야 돼요?"라고 물은 적이 있었다. 나는 그 의미를 이해하지 못해 무슨 뜻인지 되물었는데 "주윤발이 홍콩 곳곳에 자주 나타난다고 해서 만나고 싶은데 어디를 가면 만날 수 있냐고요"라고 묻는 것이었다. 그렇다. 이것이 바로 주윤발의 매력이다.

그는 평소에 대중 교통을 이용하고 서민 식당에서 식사를 하는 소탈함, 사람들이 사진 촬영을 요청하면 선뜻 응해주는 친절한 매너, 최근에는 8,100억에 달하는 엄청난 재산을 모두 사회에 기부하겠다는 일화까지 소위 홍콩판 미담제조기이다. 한 팬이 "주윤발 씨는 왜 이렇게 친절하세요?"라고 물으니 "저는 팬들의 사랑으로 큰 인기를 얻게 되었습니다. 팬들에게 제가 받은 사랑을 돌려주고 싶어서요"라고 대답했다고 한다. 말처럼 쉽지 않은 행동을 주윤발은 몸소 실천하고 있는 것이다.

공동 2위: 장국영, 주성치

장국영과 주성치는 2, 3위를 다툰다. 홍콩의 팬들로부터 형, 오빠를 뜻하는 '꺼거(哥哥)'로 불리운 장국영은 1956년생이니 살아 있다면 벌써 70을 바라보는 나이이다. 2003년 만다린 오리엔탈 호텔에서 투신 자살한 장국영은 그 날이 4월 1일 만우절이라서 사람들이 소식을 처음 접했을 때 믿지 않았다. 한국에서는 배우로 많이 알려졌으나 홍콩 사람들에게는 가수로서의 이미지도 강하다.

주로 코미디 영화를 통해 큰 사랑을 받은 주성치의 인기는 홍콩에서 내노라 하는 그 어떤 유명 배우 못지 않다. 어린이 프로 그램의 사회자로 얼굴이 알려진 주성치는 1990년 첫 주연 영화 '도성'을 시작으로 여러 영화들을 히트시킨다. 사회 생활에서의 스트레스가 많은 홍콩 사람들은 웃고 즐기는 가벼운 코미디 영화를 선호하는 편인데, 주성치의 영화들이 이런 홍콩인들에게 많은 웃음을 선사하였다. 홍콩에서도 상영된 한국 영화 '극한직업'을 본 한 홍콩 사람은 이 영화에서 주성치의 향수가 느껴졌다고 말하기도 했다.

4위: 유덕화

80년대 아시아를 풍미했던 홍콩의 4대 천왕, 즉 유덕화, 곽부성, 장학우, 여명 중 유덕화를 소개한 학생들이 많았다. 위 네 명 중 스크린과 콘서트에서 현재 진행형으로 가장 왕성하게 활동하고 있는 연예인이기도 하다. 홍콩 사람들이 꼽은 유덕화의 인기 요소로는 출중한 외모와 함께 성실함, 흠결 없는 사생활을 들 수 있다.

얼마 전에는 목에 무리가 오면서 콘서트가 중단된 일이 있었는데, 그때 무대에서 눈물을 흘리며 사과하는 그의 모습에 많은 팬들이 안타까워하기도 했다.

5위: 리카싱

5위는 연예인이 아닌 홍콩의 유명한 기업가 리카싱이다. 한때 아시아 최고의 부자였고 2018년에는 포브스 선정 아시아 최고 갑부 4위 (자산 약 37조)에 올랐다. 한국의 제1 부자 이건희 삼성 회장이 자산 약 19조로 15위인 것과 비교해 보면 우리의 이 회장 님도 리카싱 앞에서는 작아 보이기까지 하다. 홍콩에서 흔히 보는 PCCW, 파킨샵, 왓슨스, 포트리스, HKT, NOW TV, 홍콩 일렉트릭, 허치슨 텔레콤 등이 리카싱 소유의 계열사들이다. 광동 챠오져우 (潮州) 출신으로 어려서 가족과 함께 홍콩으로 이주해 왔다. 그는 모기업인 청쿵(長江)그룹의 부동산 투자 및 여러 회사를 인수하며 큰 부를 축적할 수 있었다.

리카싱은 학교를 중퇴하고 자수성가한 기업가라는 점, 부자임 에도 소탈한 생활을 하며 여러 자선단체 설립을 통해 어려운 사람 들을 돕고 있는 점 등이 홍콩 사람들의 사랑과 존경을 받는 이유 이다. 우리나라의 경우 재벌들에 대한 인식이 그다지 좋지 못한데, 홍콩에서는 이런 존경받는 기업가가 있다는 것이 한편으로 부럽기 도 했다.

이 외에도 가수이자 사회운동가인 호완시, 세계복싱기구 WBO 아시아 태평양 1위에 올랐던 권투선수 렉스 초, 홍콩의 유명한 무협 소설가 김용 씨도 홍콩 사람들에게 사랑받는 유명인으로 소개되곤 했다. 홍콩 지인을 만나거든 어떤 유명인이나 스타를 좋아하는지 물어보면서 관심을 갖고 친분을 다지는 시간을 가져 보자.

홍콩, 그 1년의 풍경

　새해가 밝으며 홍콩에서 또 한 해를 맞이하게 되었다. 올해에는 이곳에서 어떤 일들이 우리를 기다리고 있을까 궁금한데, 한편으로는 해마다 반복되는 홍콩의 풍경도 있다. 1년이라는 시간 안에서 때맞춰 모습을 바꾸는 홍콩의 풍경을 미리 칼럼속에 담아 본다.

　이제 곧 홍콩 사람들은 설맞이 준비로 점점 분주해질 것이다. 이곳의 설은 봄의 길목에서 맞이한다고 해서 춘절이라 부르는데, 1년 중 가장 큰 명절이다. 홍콩인들은 춘절을 맞아 그 전에 대청소를 해야 하고 집에 놓을 꽃을 사러 꽃시장에 간다. 올해는 설이 빠른 관계로 지금쯤이면 홍빠오에 담을 신권을 미리 준비해야 한다. 중국의 북방인들은 설에 만두를 먹지만 홍콩을 포함한 남방 사람들은 '니엔까오(年糕)'라는 일종의 떡케이크를 먹는다. 해마다 발전한다는 의미의 '年高'하고 발음이 같아 상징성도 갖고 있다.

2월이 되면 연인들의 축제일인 발렌타인 데이를 지나, 흐리고 비가 자주 오는 날이 3월까지 이어진다. 기온은 조금씩 올라가는데, 대개 4월의 부활절 연휴가 지나면 본격적인 더위가 찾아온다. 부활절 연휴는 춘절과 함께 홍콩에서의 가장 긴 연휴이다. 올해는 춘절과 마찬가지로 주말이 끼어 4일 연휴이다. 2018년 기준 홍콩의 카톨릭 신자는 36만 명, 개신교 신자들은 48만 명으로 인구 대비 많지 않지만 부활절은 여전히 홍콩의 황금 연휴이다. 올해는 부처님 오신 날도 4월(올해는 30일)에 있어 동서양의 종교 기념일이 같은 달에 치러진다. 그리고 홍콩의 전통 명절 중 하나인 청명절(淸明節) 또한 이달에 있다. 성묘를 하며 조상에게 제사를 지내는 날로서 공휴일로 지정되어 있다. 이렇게 올해 4월은 4일 청명절을 시작으로 10~13일 부활절 연휴, 30일 부처님 오신 날까지 3개의 각기 다른 공휴일로 인해 달력에 빨간색이 유독 많이 눈에 띈다.

5월 둘째 주 일요일은 어머니 날이다. 식당들은 대목을 맞아 가족 단위로 식사하는 인파에 의해 북적거린다. 이날은 식당의 사람도 많고 음식값도 평소보다 비싸 우리 교민들이 외식을 하기에 좋은 날은 아니다. 음력 5월 5일 단오절은 보통 양력 6월에 있다. 홍콩 사람들은 이날 연잎에 싼 찹쌀밥, 즉 쫑즈(粽子)를 먹고 용선 경기를 즐긴다.

7월, 가장 뜨거운 여름의 중심으로 들어오면 홍콩의 전시회 중 매년 홍콩 사람들의 큰 관심을 받고 있는 도서전시회가 완차이 컨벤션센터에서 열린다. 이때가 되면 전시회 앞에서 긴 줄을 서 있는 행렬을 볼 수 있다. 이곳에서 여러 종류의 도서들을 저렴하게 구입할 수 있다.

불볕 더위가 한창인 7, 8월을 지나 8월 말로 접어들면, 월병을 들고 웃고 있는 모델들의 사진 광고가 여기저기 붙어있는 것을 보게 된다. 월병계의 양대 업체 중 하나인 맥심(Maxim) 월병은 여가수 켈리 챤(진혜림)이, 기화(奇華) 월병은 옆집 아저씨같은 남자 배우 증지위가 오랫동안 대표 모델로 활동하고 있다. 이 광고는 추석이 얼마 남지 않았다는 것을 알리는 한편 아직은 뜨겁지만 저 멀리서 가을이 오고 있다는 심리적 환절기를 선사하기도 한다.

추석을 지나 10월이 되면 사람 얼굴을 한 주황색의 호박들이 곳곳에 보이기 시작한다. 서양의 명절인 할로윈이 10월말에 있음을 알리며 홍콩의 분위기를 바꿔나간다. 오션파크는 이때쯤이면 늘 빠짐없이 할로윈 유령의 집 광고를 붙여놓고 올해 새로 선보이는 귀신들을 소개한다.

아, 이제 홍콩에서 가장 좋은 날씨를 즐길 수 있는 11월이다. 하늘은 파랗고 높으며 따스한 햇살과 선선한 바람이 긴 더위에 지친 우리 몸과 마음을 어루만져준다. 그리고 11월 중순을 넘으면 크리스마스 트리와 장식들이 하나 둘 등장함으로써 이 도시는 또 하나의 큰 축제를 맞을 준비를 하게 된다.

크리스마스 전 홍콩에는 그 해의 마지막 전통 명절이 하나 더 기다리고 있다. 바로 동지이다. 홍콩에서의 동지는 온 가족이 함께 모여 식사를 하는 중요한 날이다. 1년 중 추석 당일과 동짓날에는 홍콩의 직장들이 직원들을 일찍 귀가시킨다. 보통은 오후 3~5시, 빠른 곳은 점심 시간에 퇴근하도록 한다.

동지가 끝나면 곧 크리스마스이다. 홍콩은 25일 다음날 26일에도 공휴일인데 이날은 박싱데이(boxing day)이다. 평소 우리에게 도움을 주었던 주위 사람들에게 작은 선물을 담은 박스를 전달하여 감사를 표시하는 영국의 문화이다.

크리스마스가 끝난 후 연말이 지나면 곧 새해를 맞게 된다. 이와 함께 성탄절 이후에도 잠시 남겨두었던 쇼핑몰과 상점의 크리스마스 트리와 장식들은 춘절을 알리는 각종 광고와 홍보물 등으로 대체되며 순식간에 분위기 반전을 이룬다.

이상 올 한해 홍콩의 모습을 칼럼 지면의 렌즈에 담아 시간순으로 구성해보았다. 향후 기억에 남을 타국에서의 소중한 추억들을 그 변화하는 시기에 맞춰 하나하나 쌓아 나가 보는 건 어떨까?

홍콩 사람들은
이렇게 설을 맞이해요^^

이제 며칠 후면 한국과 홍콩에서 모두 1년 중 최대 명절로 꼽는 설을 맞는다. 홍콩은 또한 한국처럼 3일 연휴이고 중간에 일요일이 끼어 있으면 대체 휴일이 있다. 이로 인해 한국과 홍콩은 모두 올해 4일의 설 연휴를 맞게 된다. 우리는 설 전후로 3일을 이어 쉬는 것과 달리 홍콩은 초하루 날부터 음력 3일까지가 공휴일이다. 1년 중 가장 중요한 명절인 설, 즉 춘절을 홍콩 사람들은 어떻게 보내는지 알아보도록 한다.

1. 설 전에 준비하는 것

설이 다가오면 홍콩 사람들은 분주해지기 시작한다. 준비해야하는 것이 적지 않기 때문이다. 먼저 설을 맞아 집집마다 대청소를 한다. 그리고 집에 춘련(春聯)을 붙이는데, 이것은 빨간색 종이에 좋은 문구를 적은 것으로 집뿐만 아니라 홍콩 곳곳에서 볼 수 있다. '恭喜發財(꽁헤이팟쳐이: 부자되세요)', '萬事如意(마안시위이: 만사형통하세요)', '年年有餘(닌닌야유: 늘 넉넉하세요)', '生意興隆(싸앙이행롱: 사업 번창하세요)' 등등 복된 새해를 기원하는 내용들이다.

홍콩 사람들은 또한 꽃시장에 가서 집을 장식하기 위한 꽃을 사 온다. 코스웨이베이의 빅토리아 파크에서는 매년 이때 큰 꽃시장이 열린다. 그리고 집집마다 쿠키, 호박씨, 사탕, 초콜릿 등의 간식거리를 준비해 놓는다. 한편 아파트, 상가 등에서는 홍빠오가 걸려 있는 작은 귤나무들을 볼 수 있다. 이것은 '금전귤(年桔)'이라고 해서 재물을 상징한다. 설 분위기를 띄우는데 크게 한몫하는 것 같다.

이 외에도 춘절에 빠질 수 없는 문화인 홍빠오 준비를 위해 현금은 신권으로 바꿔 놓아야 한다. 자, 이제 음력 새해 첫날이 몇 시간 안 남았다. 설 하루 전날 밤이 되면 온 가족이 함께 모여 식사를 하는데 이것을 '퇀닌파안(團年飯)'이라 부른다. 하지만 각자의 바쁜 일정상 며칠전에 모여 식사를 하는 이들도 많다.

2. 설 기간의 활동

가족들이 함께 친지를 방문, 새해 인사를 하는데 빨간색 전통 복장을 한 아이들의 모습이 종종 눈에 띈다. 한국처럼 엎드려 절하는 풍습은 없고 손아랫사람들은 '새해 복 많이 받으세요'의 중국어 버전인 '꽁헤이팟쳐이(푸통화: 꽁시파차이)'로 새해 인사를 드린다. 어른들은 빨간 봉투, 즉 홍빠오에 담은 세뱃돈을 전달하며 덕담을 건넨다.

홍콩 사람들은 설 기간 동안 절에 가서 소원을 빌기도 한다. 구룡의 웡타이신(黃大仙)과 샤틴의 체꽁미유(車公廟)가 가장 대표적인 곳이다. 그리고 침사추이에는 이 기간 중 으레 퍼레이드가 진행된다. 이것은 전통 풍습은 아니고 비교적 현대에 와서 생긴 하나의 설 프로그램이다. 한편 한국의 윷놀이와 같은 가족 명절 놀이는 없는데, 일부 사람들은 마작을 즐기기도 한다.

3. 설에 먹는 음식

한국에서는 설에 떡국을 먹듯이 홍콩에서도 춘절이 되면 먹는 음식이 있다. 베이징 등 중국 북방의 경우 만두를 빚어 먹는데 이것은 추운 기후와 관련이 있다. 홍콩을 포함한 남방에서는 '니엔꼬우(年糕)'라는 일종의 전통 떡케이크를 먹는다. '니엔꼬우'는 해마다 발전한다는 '年高'와 발음이 같기 때문에 이것을 먹는 것은 상징적인 의미가 담겨 있다. 홍콩의 설 음식 중에는 이렇게 좋은 뜻을 갖고 있는 단어와 발음이 비슷한 것들이 많다. 그중 '팟쳐이(髮菜)'라는 야채가 있는데, 발음이 '부자가 되다'라는 '發財'와

유사하다. 굴요리인 '호우시(蠔豉)'도 홍콩인들의 설 식탁에 자주 올라온다. '좋은 일(好事)'의 광동어인 '호우시'와 발음이 거의 비슷하기 때문이다. 또한 설에 자주 먹는 상추는 '쌍쳐이(生菜)'라고 부른다. 이것을 발음하면 재물이 생긴다는 의미(生財)로 들린다. 이외에 여유로움을 상징하는 생선도 홍콩 사람들이 즐겨 먹는 설 음식 중의 하나이다.

홍콩에 먹는 니엔꼬우 (출처: Sundaykiss)와 팟쳐이 (출처: 食力)

4. 설의 금기 사항

전통 풍습과 미신에 따른 금기 사항들도 있다. 그중 하나가 설이 되면 머리를 자르지 않는다는 것이다. 머리카락 '髮(팟)'의 발음이 부자가 된다는 '發財'의 '發(팟)'과 비슷한데, 이로 인해 머리를 자르는 것은 부정 타는 의미가 되어 버린다. 또한 설 기간 중 사지 않는 물건도 있다. 바로 신발이다. 신발은 광동어로 '鞋 (하)'이다. 한숨 소리인 '하이..'와 비슷하므로 즐거워야 할 설 축제와는 어울리지 않는다.

설 초하루와 둘째날은 보통 친지를 방문하여 인사를 드리지만 셋째날은 이를 삼가한다. 이날 방문하면 싸움이 일어난다고 믿기 때문이다. 그래서 음력 1월 3일에는 특별히 할 일이 없는 사람들을 위해 매년 경마 경기가 열린다. 평소에 경마를 즐기지 않는 사람들도 이날만큼은 경마장을 찾곤 한다.

이상 홍콩의 설 풍경을 정리하여 소개해 보았다. 한국과 비교하면 비슷한 점도 있고 홍콩만의 특별한 설 문화도 찾아볼 수 있다. 다음 글에서는 한국 교민들이 어렵게 여기는 홍콩의 홍빠오 문화에 대해 살펴보겠다.

알쏭달쏭 홍빠오 문화,
당신을 위한 지침서

홍콩의 최대 명절인 설, 즉 춘절이 며칠 남지 않았다. 홍콩의 설 풍습 중 우리나라와 비슷하면서도 다른 것이 있는데 바로 세뱃돈 문화이다. 홍콩을 비롯한 중화권에서는 세뱃돈을 빨간 봉투에 담아 주기 때문에 '홍빠오(紅包)'라 부른다. 한국과 홍콩 모두 연장자가 손아랫사람에게 세뱃돈을 주는 것을 보편적인 공통점으로 꼽을 수 있으나, 다른 점 또한 적지 않다. 가장 큰 차이는 한국의 경우 세뱃돈을 받는 대상이 아이나 학생이라면 홍콩의 경우는 미혼자가 대상이라는 것이다. 하지만 홍콩에서는 이 외에도 홍빠오를 주고받는 상황이 좀 더 다양하다. 그래서인지 필자는 매년 춘절이 얼마 남지 않은 중국어 수업 시간이 되면 홍빠오를 어떻게 주어야 하는지에 대한 질문을 종종 받곤 한다. 오늘은 알쏭달쏭한 홍콩의 홍빠오 문화에 대해 소개하고자 한다.

1. 거주지에서 홍빠오 주기

우선 교민들이 제일 궁금해하는 것, 바로 아파트 경비원에게 홍빠오 주는 요령이다. 만약 내가 미혼이라면 홍빠오를 챙기지 않아도 된다. 하지만 기혼인 경우 부부가 모두 줘야 하는지, 남편이나 아내 중 한 명만 주는지에 대해 물어보는 이들이 많다. 사실 이것은 사람들에 따라 다르다. 일반적으로는 부부 중 한 명만 줘도 된다. 친한 경비원이라면 부부가 봉투 2개를 준비하기도 한다. 이 경우 부부가 따로 움직일 때는 한 명이 배우자 몫까지 홍빠오를 두 개 건네기도 하고 아니면 각자 출입할 때 따로 주기도 한다.

그런데 설 기간이 되면 평소에 자주 못 보는 경비원들이 유독 눈에 띈다. 이럴 때는 어떻게 해야 할까? 어떤 홍콩인들은 그냥 지나치기도 하지만 대개의 경우는 금액을 달리하여 준다. 즉, 상주 경비원에게 50불을 담아 준다면 비상주 경비원들에게는 20불 정도 넣어 전달하는 것이다. 그런데 난감한 것은 상주 경비원과 비상주 경비원이 나란히 앉아 있을 때이다. 홍콩 사람들은 홍빠오를 줄때 헷갈리지 않도록 안에 넣은 금액에 따라 봉투를 달리하여 준비한다. 그래서 두 경비원에게 금액이 다른 봉투를 구분하여 건네기 미안하면 그냥 같은 봉투, 즉 상주 경비원에게 주는 높은 금액으로 통일하여 주면 된다.

한편 같은 동네에서 지인을 만나거나 지인의 아이를 보면 이때도 홍빠오를 전달한다. 홍콩 사람들은 보통 20~50불을 넣어 주는데 맥도날드나 하겐다즈 쿠폰을 현금 대신 넣어 준비하기도 한다.

2. 직장에서 홍빠오 주기

근무지의 건물에도 경비원들이 있기 때문에 위와 같은 요령으로 지급하면 될 것이다. 그리고 사무실에 들어가면 직원들에게도 홍빠오를 돌리게 된다. 미혼자는 상사나 기혼 동료로부터 받은 후 "꽁헤이팟쳐이(恭喜發財: 새해 복 많이 받으세요)"하고 인사만 건네면 된다. 하지만 미혼자라도 관리자급이면 같은 사무실이나 부서 직원들에게 전달할 홍빠오를 준비해야 한다. 이 경우 일반적인 관행과는 반대로 미혼 관리자가 기혼자인 아래 직원에게 홍빠오를 주는 풍경을 볼 수도 있다. 한편 짠돌이 관리자, 좋게 표현하면 '마음이 더 중요하다'라고 생각하는 상사는 돈 대신 'Happy New Year'라는 문구를 넣어 전달하기도 한다.

위와 같은 풍습을 고려한다면 한국인 관리자들도 사무실 직원들에게 홍빠오를 돌리는 것이 좋다. 각각 50~100불 정도면 적당할 것이다. 그리고 거래처를 방문하게 되면 평소 자주 보는 직원에게도 홍빠오를 건넨다. 예를 들면, 갈 때 항상 차를 내오는 직원이나 미혼의 거래처 직원에게 빨간 봉투를 선물한다면 당연히 주변 분위기가 따뜻해질 것이다.

3. 식당에서 홍빠오 주기

홍콩 사람들은 식당에 갈 때도 홍빠오를 챙긴다. 이때 생기는
또 하나의 궁금증은 그 식당 직원 모두에게 돌려야 하는지, 평소
친한 직원에게만 주는지이다. 평소에 어떤 종업원은 인사성도 밝고
내가 원하는 것을 알아서 미리 챙겨주는가 하면 어떤 이들은 몇
년을 넘게 만나도 심드렁하다. 결론적으로 나와 친한 직원에게만
주면 된다. 그런데 이를 본 다른 종업원들이 같이 와서 "꽁헤이팟
처이"라 말하며 세뱃돈을 받으려 하기도 한다. 따라서 내가 주고
싶은 직원에게만 준다면 살짝 주변의 눈치를 살피고 건네는 것이
좋다.

우리 학원 근처에 딤섬 집이 하나 있는데, 나는 그곳에 가면
항상 고추기름을 요청한다. 여러 종업원 중 한 명만 내가 가면 알
아서 그것을 미리 준비해 주곤 했다. 이전 춘절 때 필자는 평소 이
직원에게 고맙다는 말로만 표현하기에 부족했던 마음을 홍빠오에
담아 건넨 적이 있다.

홍빠오를 주는 기간

그럼 홍빠오를 주는 유효 기간은 언제까지일까? 중화권의 설
축제 분위기는 음력 1월 15일이 되면 끝이 난다. 따라서 음력 1월
1일을 시작으로 음력 1월 15일 이전까지를 홍빠오 주고받기 기간

으로 생각하면 된다.

　이곳 현지인들은 홍빠오의 의미가 복을 나눠주는 것이라고 여긴다. 그래서 복을 많이 줄수록 나 역시 그만큼의 복을 받는다고 생각한다. 내가 많은 복을 받고 싶다면 더 두둑하게 나눠주는 것도 좋다. 여러분은 올해 얼마나 많은 사람들에게, 얼마나 많은 복을 베풀 준비가 되어 있는가?

사스 때의 홍콩,
현재의 홍콩

    신종 코로나 바이러스가 전 세계 곳곳에 어두운 그림자를 드리우고 있다. 사람들의 모든 관심이 코로나 바이러스에 맞춰지고 있는 요즘, 인터넷 뉴스는 일제히 '우한 폐렴 사망자, 사스 때를 넘었다'를 제목으로 한 기사들로 도배되었다. 최근 이 바이러스로 전 세계에서 목숨을 잃은 사람들의 숫자가 800명을 돌파하며 774명의 사망자를 낸 사스 때를 넘어선 것이다.

    사스는 2002년 11월에서 2003년 7월까지 유행하여 8,096명의 감염자가 발생하고 774명이 사망하였다. 사스와 우한 폐렴이 유사한 특징을 갖고 있어서 이 둘을 비교하는 기사를 언론을 통해 접하곤 한다. 가장 큰 공통점은 야생 동물에서 비롯된 것으로 추정되며 진원지가 중국이라는 점이다. 사스는 중국 광동성, 우한 폐렴은 후베이성에 위치한 대도시 우한에서 시작되었다.

물론 차이점도 있다. CNBC의 보도에 의하면 전염성은 코로나 바이러스가, 치사율은 사스가 더 강하다. 사스는 8개월간 8천명의 확진자가 발생하여 774명이 사망했으니 확률로 보면 10명 중 1명이 목숨을 잃은 셈이다. 반면 우한 폐렴은 현재까지 약 3%의 치사율을 보이고 있다. 신종 코로나 바이러스로 사망에 이른 사람들은 대개 심장병, 당뇨들의 질환이 있었던 것으로 보도되고 있다. 그리고 잠복기의 경우 사스는 2~7일 정도로 짧았으나 이번 바이러스는 최장 2주이다.

사스의 경우 중국, 홍콩에서 피해자가 많이 발생한 반면, 우한 폐렴은 전세계로 확산되고 있는 추세이다. 사스 때 전세계에서 가장 많은 사망자가 발생한 곳이 홍콩인데 이곳에서만 299명이 사망했다. 당시 유독 홍콩에서 이렇게 많은 사망자가 나온 원인은 무엇일까? 2011년 개봉되어 현재의 전염병 사태를 예언한 영화로 화제가 되고 있는 '컨테이전(Contagion)'에 이런 대사가 나온다.

"(290만이 살고 있는) 구룡 지역은 전세계에서 인구 밀도가 가장 높은 곳이에요. 전염병 속도가 빨라질 거예요."

케이트 윈슬렛, 맷 데이먼, 기네스 펠트로, 쥬드 로 등 화려한 캐스팅을 자랑하는 이 영화는 첫 감염자로서 홍콩의 첵랍콕 공항에서 전화를 하는 기네스 펠트로를 비추며 시작된다. 영화의 마지막 장면에는 박쥐의 배설물을 먹은 돼지를 요리하는 한 요리사가 손도 잘 씻지 않고 기네스 펠트로와 악수를 하면서 전염병이 시작된다는 설정으로 끝난다.

이 영화의 대사처럼 세계 최고의 높은 인구 밀도에 더해, 빽빽하게 병풍처럼 들어선 고층 빌딩까지, 전염병에 취약할 수밖에 없는 모습을 노출하고 있는 홍콩은 그 어느 곳보다 피해가 커질 수밖에 없다. 이로 인해 이번 우한 폐렴은 사스의 아픔을 겪은 홍콩 사람들에게 매우 민감한 문제가 아닐 수 없다.

그런데, 우한 폐렴 사태는 홍콩에서 아직 사스 때와 같이 많은 사망자가 발생하지 않았지만 이곳 사람들은 정부에 많이 화가 나 있는 듯하다. 이것은 작년말의 홍콩 시위 사태 촉발 원인인 '중국'과 다시 연결되어 있다. 중국 대륙에서 온 사람들의 대량 구매로 마스크 부족 사태를 겪게 되자 홍콩 사람들은 또 한번 폭발한 것이다. 홍콩 정부는 이를 적절히 통제하지도, 그렇다고 마스크 공급을 위한 효율적인 대책도 내놓지 못하고 있다는 것이 홍콩 사람들의 불만이다.

어떤 홍콩 학생은 사스 당시 행정장관의 부인이 나서서 직접 시민들에게 살균제등을 배분해 준 것을 떠올리며 지금 정부는 손 놓고 있다고 성토했다. 얼마 전 나는 휴강으로 수업이 중단된 홍콩 학생들에게 "요즘 한국어 공부 열심히 하고 있어요?"라고 묻는 메세지를 보냈다. 이에 한 학생은 "마스크 사러 다니면서 줄 서느라고 공부할 시간이 없어요ㅠㅠ"라고 대답해 왔다.

사스 때는 지금과 같은 마스크 공황이 발생하지 않았다. 그 당시에는 제도적으로 지금처럼 홍콩과 중국 대륙간의 자유 왕래가 없었다. 홍콩으로 오는 중국인들의 숫자도 제한되어 있었다. 2002년 중국 대륙인의 홍콩 입국 횟수는 683만회였다. 그러나 2019년 대륙 사람들의 홍콩 입국 횟수는 무려 4,377만회로 크게 증가했다. 이 수치는 시위 여파로 전년 대비 14.2% 감소한 것임을 고려하면 중국인의 홍콩 방문 횟수 증가는 가파르게 증가하고 있는 상황이다.

또한 지금과 반대로 사스 때 가장 큰 피해가 발생한 곳이 홍콩이었기에 당시 중국 사람들은 홍콩에 오는 것을 꺼려했고 따라서 마스크 부족 현상도 없었다. 하지만 최근에는 마스크 대란에 더해 휴지, 식료품까지 대란 품목에 오르고 있다.

홍콩 사람들은 사스 사태를 통해 방역 소독 지식, 위생 청결 유지 등을 교훈으로 체득할 수 있었다. 사스 이후 청소차들이 자주 도로를 청결히 하고 있고 식당에서의 꽁파이(公筷: 중국 식당에서 공용으로 사용하는 젓가락) 사용도 이때 더욱 확산되었다.

하지만 이런 내부적인 노력에도 불구하고 중국 대륙과 접경지에 있다 보니 외부에서 오는 감염 상황을 막기에는 한계가 있는 것 같다. 모든 사람들의 협조와 이해, 노력을 통해 하루 빨리 이 상황을 극복했으면 하는 바람이다.

홍콩 사람들의 장수, 건강, 그리고 운동

　　홍콩이 전세계에서 평균 기대수명이 가장 높은 나라라는 것을 알고 있는가? 2016년 UN 보고서에 따르면 홍콩 여성의 평균 기대수명은 87.3세, 남성은 83.3세로 세계 장수 국가인 일본보다 위에 있다. 빽빽하게 들어선 고층 빌딩, 엄청난 인구 밀도를 고려한다면 이해하기 힘든 결과이다. 어떻게 이런 예상 외의 결과가 나온 것일까?

　　이와 관련하여 사우스차이나모닝포스트(SCMP)는 여러 전문가의 말을 빌려 몇 가지 답을 내놓았다. 우선, 빽빽한 도시 환경 속에서도 공원과 녹지, 스포츠 시설 등이 잘 갖춰져 사람들의 활동을 이끌어낸다는 것이다. 많은 노인들이 공원에서 운동을 하거나 산책, 이야기를 나누는 모습은 홍콩에서 많이 볼 수 있는 풍경이다.

어떤 전문가는 의료 시설의 접근성을 장점으로 꼽기도 했다. 나에게 수업을 들었던 한 수강생은 "홍콩이 워낙 좁아서 엠블란스를 부르면 전화 끊기도 전에 도착해 있어요. 그래서 목숨을 건질 수 있죠."라고 말한 적이 있다. 그런데 그저 농담만은 아니었다. 밀집된 생활 환경은 위급한 상황에서 신속히 의료진과 연결시켜 준다는 것이다.

"홍콩은 다행히 자연 재해가 거의 없고 공장도 많지 않다. 서비스 기반의 경제 환경을 가지고 있다"는 진단도 있다. 그리고 홍콩의 위생 상태, 깨끗한 용수도 수명 연장과 빼놓을 수 없다. 최근에는 흡연자의 비율도 상당히 낮아지고 있다. 30년 전에 비해 흡연 인구가 50% 낮아졌다는 조사 결과도 있는데 최근 남성의 흡연 인구는 19%, 여성은 3%로 나타났다.

홍콩의 높은 교육 수준은 의료와 건강에 대한 관심 및 지식을 높이는데 도움이 된다. 그리고 노인들을 모시고 식사를 하는 중국의 전통 문화도 기여하는 바가 있다. 가족 혹은 친척과 자주 식사를 즐기는 노인은 혼자 식사하는 노인들에 비해 영양 상태가 좋을 수 밖에 없다.

홍콩의 익숙한 풍경 중에는 가사도우미들이 휠체어에 의지한 노인들을 밀어주는 모습도 있다. 가사도우미들은 몸이 불편한 노인들의 산책을 도와주며 집에서 같이 TV 시청도 한다. 이런 심리적, 육체적 도움이 노인들을 고립에서 지켜주는 역할을 한다.

홍콩의 노인중에는 운동으로 건강 관리에 신경 쓰는 이들도 적지 않다. 즐겨하는 활동이나 운동으로는 마작과 태극권을 꼽을 수 있다. 태극권은 몸의 균형 유지와 근육 강화, 심리적 안정에 도움을 준다고 한다.

운동을 즐기는 인구는 노인에 국한되지 않는다. 여기 한 조사 결과가 있다. 홍콩 사람들이 얼마나 자주 운동을 하는가에 대해 홍콩 중문대와 한 연구 기관이 공동으로 전화 조사를 진행했다. 결과는 '거의 혹은 전혀 운동하지 않는다'(34%), '자주 운동한다'(32.1%), '가끔씩 한다'(33.9%)로 나타났다. 운동을 하는 사람들이 66%, 즉 3명 중 2명인 것이다. 내가 수업 시간 때 '운동하는 사람 손 들어 보세요'하면 보통 이와 비슷한 통계를 보인다.

그럼 홍콩 사람들이 가장 즐겨하는 운동은? 달리기가 1위 (43.9%)를 차지했다. 나도 시간 날 때마다 동네 공원에서 달리기를 한다. 이때 정말 많은 사람들이 조깅을 즐기는 모습을 보며 '이분들 참 운동 열심히 하는구나'하고 느끼곤 한다. 지금 나는 학원 뒤 바닷가 공원의 한 커피숍에서 이 글을 쓰고 있다. 지금 이 순간에도 많은 이들이 마스크를 벗어 던진 채 열심히 내 앞을 지나며 뛰고 있다.

그 다음으로는 하이킹(10.6%), 구기 운동(9.7%)이었다. 주요 구기 종목에 대한 언급은 없지만 필자는 축구, 농구, 배드민턴, 스퀴시, 테니스일 거라 추측해 본다. 이 외에도 태극권(9.5%), 피트니스에서의 운동(8.1%)등이 순위에 올라 있는데 여기에는 빠졌으나 내가 아는 사람 중 요가와 수영을 즐기는 인구도 적지 않았다.

하지만 최근의 서구화된 식사와 패스트푸트 시장 확대는 점점 홍콩 사람들의 건강을 위협하고 있는 것 같다. 홍콩의 아동과 젊은이들이 점점 비만화되고 있는 추세이다.

홍콩의 퀄리티 헬스케어(Quality Healthcare)에서 22,041명을 대상으로 건강에 관한 조사를 실시한 바 있다. 절반에 가까운 사람들이 표준 건강 수치를 밑돌았고 39%는 나쁜 콜레스테롤에 시달리고 있다는 결과가 나왔다. 6개의 건강 측정 수치에서는 남성이 여성보다 5개 부분에서 나쁘게 나타났다. 그중 69%의 남성, 33%의 여성은 비만 측정 지수인 BMI가 건강하지 못한 수준이었다. 홍콩 사람들의 체형은 겉으로 보기에는 비교적 왜소하고 날씬하지만 정상 체중의 사람들 중 40%는 좋지 못한 콜레스테롤 수치를 기록했다.

"홍콩 사람들이 장수하는 것에 비해 그렇게 건강한 편은 아니에요"라고 말한 지인도 있었다. 바쁜 생활로 인해 찾게 되는 인스턴트 식품, 서구화된 식생활은 향후 홍콩 사람들의 건강을 위협하는 요소가 될 것이다.

오늘 아침 공원을 지나가다가 마스크를 쓰고 태극권을 하는 사람들을 볼 수 있었다. 최근의 바이러스에 '올테면 와 봐라'하고 말하는 무언의 경고가 눈빛과 동작을 통해 느껴졌다. 그 아우라에 못된 바이러스가 정말로 쉽게 접근하지 못할 거 같았다.

홍콩인들의 건강 도우미 – 량차 (涼茶)

　지난 칼럼에서 홍콩이 세계 1위 장수 국가라는 사실을 언급하고 그 비결에 대해 다루었었다. 칼럼에는 빠져있었지만 어떤 홍콩 사람들은 평소에 즐겨 마시는 량차(涼茶)를 장수의 비결로 꼽기도 했다.

　홍콩의 길거리를 지나다 보면 한약처럼 생긴 탕을 작은 사발에 담아 가판대에 진열한 상점들이 종종 눈에 띈다. 이것이 량차인데 2006년 홍콩의 무형 문화 유산으로도 등록되었다.

　량차의 의미는 말 그대로 '시원한 차'이다. 하지만 마셔보면 시원하지도, 그렇다고 차의 맛도 아니다. 오히려 시원해지기 전에 마셔야 하고 쓴맛이 나는 보약, 즉 한약의 느낌이다. 량차의 의미는 '몸의 열을 식히는 차'로 해석해야 할 것이다.

이 건강 식품은 1828년 광동성 광저우에서 문을 연 '왕라오지 (王老吉) 량차'가 기원으로 알려져 있다. 당시 지금처럼 전염병이 유행했었는데, 왕저방이라는 농부가 한 도인을 만나 약 제조의 비법을 전수받아 백성들을 치료했다고 한다. 왕라오지 량차는 청나라 황제 문종(1852년)에게까지 알려져 황실에서도 제조되어 유명해졌다. 아편과의 전쟁을 위해 광동에 흠차대신으로 파견된 임칙서가 과로와 질병으로 고생할 때 왕저방이 량차를 통해 낫게 하였고, 효과를 본 임칙서는 이것을 민간에 널리 보급하도록 격려했다는 일화도 있다.

출처: 新假期, 當代中國

이후 체력을 많이 소모하는 노동자, 혹은 직장인들 사이에서 저렴한 가격으로 널리 애용되었다. 홍콩의 식민지 시절 초창기에 서민들은 비싸서 먹기 힘든 서양식을 현지 식당인 차찬팅이 저렴하게 대중화시킨 것처럼 량차는 비싼 한약을 누구나 접할 수 있는 음료 형식으로 널리 보급한 공로가 있다고 볼 수 있다.

홍콩에서는 량차가 1940~60년대 크게 인기를 얻었다. 특히 TV가 귀하던 시절, 많은 사람들이 량차집에 모여 TV를 시청하며 이 음료를 마시는 것이 유행하기도 했었다.

량차는 여러 종류가 있어 상황과 체질에 맞게 마시는 것이 좋다. 미슐랭 가이드에서 소개한 '7가지 추천 량챠'를 정리하면 아래와 같다.

1. 계골차(鷄骨茶) - 피로 회복과 소화 촉진, 체온을 낮춰준다.
2. 은국로(銀菊露) - 목이 따갑거나 혈압을 낮춰준다.
3. 거습차(去濕茶) - 이름 그대로 습기를 제거해 준다. 이 외에 몸속의 독소 제거 및 입맛을 돋운다. 량차 전문점보다 가정에서 주로 만들어 먹는 편이다.
4. 화마인(火麻仁) - 대마 씨를 원료로 하는데 변비에 좋다.
5. 입사미(廿四味) - 이름은 '24 가지 맛'이란 뜻으로 20 여 종의 약재를 사용한다. 목이 아프거나 감기, 피부에 문제가 있을 때 효과가 있다.
6. 하고차(夏枯茶) - 한여름에 더위를 먹지 않게 하고 피로한 눈에도 좋다.
7. 귀령고(龜苓膏) - 거북이 젤리로 알려져 있다. 거북이 등껍질과 약재를 넣어 만드는데, 홍콩 사람들은 건강식 디저트

로도 즐겨 먹는다. 소화불량과 습진을 개선하는 효과가 있다.

이 외에도 량차 파는 곳을 가면 감기에 좋은 감모차(感冒茶)도 늘 진열대의 한자리를 차지하고 있는 것을 볼 수 있다. '感冒 (감모)'는 중국어로 감기라는 뜻이다. 나도 홍콩에 와서 호기심에 감모차를 한두 번 마신 적이 있다.

이 칼럼을 쓰기 위해 필자는 학원 주변 량차 전문점을 찾아 갔다. 최근 패스트푸드와 튀김을 많이 먹었다고 하며 어떤 량차가 좋은지 물어봤더니 매장의 젊은 청년은 한 사발에 20불하는 귀령차(龜苓茶)를 권했다. 한약제로 끓인 보약에 약간의 단맛이 가미된 느낌이었다. 제일 많이 팔리는 량차는 귀령차와 입사미라고 한다.

주변의 홍콩 지인들에게 언제 이 음료를 마시는지 물어보았다. 감기 초기에 마시면 효과가 있다는 사람도 있었고 바비큐나 핫팟을 먹을 때, 튀긴 음식이나 과자를 먹고 나서 몸의 열을 낮추거나 독소를 없애기 위해 량차를 찾는다고 대답하기도 했다. 구내염이 있을 때 마시는 사람도 있었다. 몸 컨디션에 따라 달리 음용하고 있었는데, 빈도의 차이가 있을 뿐 안 마시는 사람은 없었다.

전문가에 의하면 량차를 매일 마실 필요는 없고 일주일에 1~3번이 적당하다고 한다. 하지만 몸이 너무 차가워질 수 있는 부작용이 있어 노인, 아이, 생리중인 여성, 임산부나 막 출산한 여성,

위가 약한 사람들은 피하는 것이 좋다.

2017년 통계에 의하면 홍콩에는 약 400여개의 량차 전문점이 있다. 이곳을 지나가다 발걸음을 멈춘 채 한 사발 들이킨 후 떠날 수도 있고, 보온병을 갖고 와 가져가서 마실 수도 있다. 최근에는 깔끔하게 단장을 한 전문 체인점도 주변에서 많이 볼 수 있다. 대표적인 곳이 양화당(養和堂), 홍복당(鴻福堂), 공화당(恭和堂) 등이다. 특히 홍복당은 지하철역 안팎에서 눈에 많이 띈다.

량차가 탄생한 200년 전은 지금처럼 전염병이 유행하던 시절이었다. 이 글을 읽고 호기심이 생긴다면 량차 마시기를 시도해 보라. 기분 탓에, 아니면 실재 몸에서 미묘한 화학 작용이 일어나며 뭔가 건강해졌다는 느낌을 받는 것도 나쁘지 않을 것이다.

천태만상,
홍콩의 옥상 문화

출처:太陽報

　최근 나는 <홍콩이야기>(香港故事, 三聯書店有限公司)라는 책
을 재미있게 읽고 있다. 중국 신화사통신 기자가 홍콩을 취재하며
쓴 것을 책으로 출판한 것이다. 이중 나의 흥미를 끈 것이 홍콩의
옥상 문화인데 이 내용을 독자들에게 소개하고자 한다. 홍콩을 '옥
상의 도시'라고 부를 정도로 건물의 가장 높은 곳에는 이 사회의
여러가지 모습이 담겨져 있다.

　홍콩 옥상 문화의 시작은 1950년대로 거슬러 올라간다. 이를
언급하기 전에 그 당시 주택 상황을 잠시 살펴보자. 제 2차 세계
대전 종료 후, 그리고 중국 대륙이 혼란을 겪으며 많은 인민들이
대거 홍콩으로 남하하였다. 이로 인해 이곳은 갑작스러운 인구

팽창을 겪게 된다. 1950년대 홍콩의 인구가 급증하면서 주택 공급이 사회적 문제로 대두된다. 홍콩의 주택 공급 부족은 아마 이때부터 시작되지 않았나 싶다.

1953년 서구룡 지역의 셰킵메이(石硤尾)에서 대화재가 발생하여 무려 5만 명이 생활의 터전을 잃게 된다. 홍콩 정부는 1954년 이 지역에 6층으로 된 8개 동의 아파트를 지어 이재민들을 거주시켰다. 이것은 홍콩의 제1차 공공주택 건축 계획으로 기록되어 있다. 이후 홍콩 정부는 대규모의 공공 아파트 공급 사업 정책을 순차적으로 펼치게 된다.

이러한 시대적 상황을 배경으로 대규모 아파트들이 들어서기 전, 홍콩에는 당루(唐樓) 형태의 가옥들이 많았다. 당루는 상업 및 주택 용도로 설계된 아파트 건물이다.

그 당시 많은 이민자들이 홍콩의 친척이나 친구가 살고 있는 당루의 옥상에 기거하게 된다. 많은 당루들은 서로 연결되어 있어 공간 활용이 용이하였다. 이곳에 거주한 자들은 옥상에 농작물과 닭 등의 가축을 기르기도 했다. 이렇게 해서 홍콩의 곳곳에 공중 마을이 생겨나게 된다. 사람들은 여기에 모여 바람도 쐬고 한담을 나누었고, 밤에는 달을 감상하는 등 다양한 활동이 이루어지며 옥상은 지역 사회의 중심 역할을 한다.

1960년대는 홍콩 무술 도장의 황금시대였다. 통계에 의하면 당시 400여개의 무술 도장이 있었는데, 그중 대다수는 임대료가 저렴한 옥상에 터를 잡았다. 필자가 재미있게 본 영화 '엽문'에도 옥상의 무술관이 스크린에 담겨져 있다. '엽문'은 이소룡 스승의 일대기를 다룬 영화로 올해 마지막 시리즈인 4편까지 상영되었다. 이소룡도 엽문의 가르침 아래 홍콩의 옥상에서 바람을 가르며 무공을 익혔을 것이다. 당시 저녁 때쯤이면 홍콩 곳곳의 옥상 무예관에서는 힘찬 북소리와 함께 스승과 제자가 무술을 연마하는 독특한 풍경이 펼쳐졌다고 한다.

나의 머릿속에는 무술 영화에 자주 나오는 도장 깨기가 떠올랐다. 다른 도장을 접수하는, 소위 말하는 도장 깨기를 하려면 일단 옥상으로 올라가야 하는 번거로움이 있었을 것이다. 이때 '여긴 왜 이렇게 높은 거야? 다른 데로 가자'라는 불평과 함께 발걸음을 돌리는 홍콩 코믹배우 주성치의 모습을 상상해 보았다.

한편 1953년 셰킵메이의 대화재 이후 홍콩에는 대형 건물들이 들어선다. 그리고 '공중 학교'가 여기저기 세워지게 된다. 공중 학교는 옥상 학교를 말한다. 공중 학교는 당시 여러 상황으로 인해 기초 교육을 얻기 힘든 학생들을 위해 마련된 학교를 말한다. 이 학교들의 장점은 접근성이 좋고 임대료가 저렴하다는 것이다. 학교 시설은 낙후되었지만 교사와 학생들의 관계는 끈끈했다고 한다.

요즘에 와서 옥상 도장, 옥상 학교는 더 이상 보기 어려워졌지만 홍콩 사람들은 다른 형태로 이 공간을 이용하고 있다. 바비큐, 제사, 빨래 건조, 썬텐, 애완동물 기르기, 식물 재배 등 실로 다양하다.

코스웨이베이의 히산 플레이스 (Hysan Place)의 38층에는 약 800평방미터의 옥상 정원이 마련되어 있다. 도시의 직장인들이 이곳에서 농사를 지으며 자신이 재배한 식물들을 집에 가져가서 식탁 위에 올린다. 매년 세 번의 학기를 운영하여 재배 활동 신청자를 모집하는데, 수백 명이 몰려 추첨을 통해 100명을 선발한다고 한다. 씨를 뿌리고 비료를 주는 등의 재배 방법을 지도해주기도 해서 좋은 반응을 얻고 있다.

이렇게 최근에도 옥상은 홍콩 사회의 한 부분을 형성하고 있다. 그래서 위에서 언급한 '엽문' 외에 홍콩을 배경으로 한 영화에는 옥상이 무대로 종종 등장한다. '무간도'를 본 독자들은 기억할 것이다. 조폭 조직에 침투한 비밀 경찰 양조위와 그의 상관 황추생이 비밀리에 만나는 장소도 건물의 맨 윗층이다. 홍콩, 마카오를 배경으로 한 한국 영화 '도둑들'에도 옥상 장면이 등장한다.

공간과의 싸움을 벌이는 홍콩 사람들. 옥상 또한 오래전부터 이들의 생활 터전으로 사용되었을뿐만 아니라 사회의 중심 역할을 했던 역사도 지니고 있다. 나는 기회가 된다면 이곳에 올라 홍콩 사람들과 바비큐를 즐겨보고 싶다. 하늘과 좀 더 가까운 곳에서 고개를 들면 밤하늘을 볼 수 있고, 아래로 시선을 향하면 널리 펼쳐져 있는 아름다운 밤풍경을 감상하며 또 다른 홍콩을 경험하고 싶다.

통계로 본
홍콩 인구의 이모저모

　오늘은 홍콩 정부 통계처 사이트의 자료를 인용하여 홍콩 인구의 이모저모를 살펴 보겠다. 이를 통해 홍콩 사회에 대한 이해를 돕고자 한다. 우선 2019년 연말 기준 홍콩의 인구는 7,500,700명이다. 전년 대비 14,200명 증가하여 0.2%의 증가율을 보였다. 홍콩의 인구는 2016년 734만 명을 돌파하면서 1961년 대비 2배가 되었다.

　연령별 인구 구성을 보면 노인의 인구가 급격히 증가하여 2016년 기준 16%를 차지하였고 아동 인구는 11%까지 떨어졌다. 홍콩 역시 한국처럼 고령화 사회의 특징을 보이는 것이다. 그리고 전체 인구 중 60%가 홍콩에서 태어났다. 이 외에 홍콩 인구의 구성에 대한 세부적인 내용들을 살펴보자.

1. 국적별 홍콩 인구 분포 (2016년 기준)

국적	인구
중국/홍콩	6,768,190
필리핀	186,869
인도네시아	159,901
영국	35,069
인도	28,777
네팔	22,679
파키스탄	15,234
미국	14,749
호주	14,669
태국	11,493
일본	10,678
기타	68,277

중국/홍콩인 다음으로 많은 필리핀, 인도네시아인의 대부분은 가사 도우미들일 것이다. 길에서 자주 볼 수 있는 인도, 네팔, 파키스탄 등 서남아 인구도 홍콩에서 꽤 많은 구성비를 차지하고 있다. 그런데 한국은? 우리는 위 통계를 통해 홍콩에서 한국인은 소수 국적에 불과하다는 사실을 알 수 있다. 그럼 홍콩 어딜가나 들리는

그 흔한 한국어의 실체는 무엇이란 말인가? 여행객 같은 유동 인구가 그렇게 많은 걸까? 한국영사관 사이트에는 한국 교민의 숫자가 2017년 기준 15,083명으로 기록되어 있다. 여기에는 일시 체류자, 즉 유동 인구까지 포함되어 있어 위 집계 방식과는 약간의 차이가 있는 것 같다. 여하튼 우리 동포가 홍콩에서 차지하는 비율이 15위권 안에는 포함되어 있지 않을까 생각된다.

2. 홍콩의 남녀 성별 비율 (2019년 하반기 기준, 단위: 천 명)

남	여
3,415.2	4,085.5

위 통계에 따르면 여성이 남성보다 약 67만 명 더 많았다. 성별 비율(천 명의 여성 인구 대비 남성의 숫자)은 80년대부터 계속 낮아지고 있다. 즉, 이 비율이 점점 벌어지면서 홍콩 여성들은 짝을 찾기가 힘들어지고 있는 것이다.

3. 홍콩 사람들의 결혼 연령

	1986	2016
남	28	31.4
녀	25.3	29.4

위에서 보는 바와 같이 남녀 모두 결혼 연령은 늦어지고 있다. 또한 40~49세 인구 중 미혼자의 비율이 1/6이나 되었다. 국제 결혼의 경우 최근 중국대륙 남성과 홍콩 여성의 결혼 비율이 증가하고 있는 것이 특징이다. 이들이 국제 결혼에서 차지하는 비중은 1986년 4.1%에서 2019년 33.3%까지 증가했다. 위 성별 분포 통계에서 봤듯이 홍콩의 여성이 남성 보다 많은 비율을 차지함에 따라 잉여 미혼 여성의 결혼 문제를 중국대륙 남성들이 해결해 주는 것 같다. 한편 홍콩과 중국을 포함한 중화권 남성과 결혼 혹은 동거로 홍콩에 같이 사는 여성의 국적으로는 태국, 인도네시아, 일본, 한국이 비교적 많았다.

4. 지역별 인구 분포 (2019년, 단위: 천 명)

	인구	인구밀도(제곱킬로미터당 인구수)
신계	3,963.4	4,150
구룡	2,296.9	48,930
홍콩섬	1,246	15,590

홍콩은 2019년 기준 모로코, 마카오, 싱가폴 다음으로 세계에서 인구 밀도가 가장 높은 곳이다. 이중 홍콩 전체에서 가장 인구 밀도가 높은 곳은 구룡의 쿤통 지역으로 1제곱킬로미터당 61,560명이다. 69만 명이 쿤통 지역에 살고 있는데 홍콩 인구의 10%에 가

까운 사람들이 거주하는 셈이니 쿤통의 인구 밀도는 살인적이라 할 수 있다. 홍콩섬에서 인구 밀도가 가장 높은 곳은 55만 명이 거주하는 홍콩섬 동부 지역이다. 우리 교민들이 많이 사는 타이쿠싱, 사이완호, 콘힐 등이 여기에 포함된다.

5. 5세 이상 사용 가능 언어/방언 (2016년)

광저우어	94.6%
영어	53.2%
푸통화	48.6%

여기서 말하는 광저우어는 중국 광저우(광주)를 기반으로 한 광동어를 말한다. 광동어도 같은 광동성 내에서 여러 세부 방언으로 분류가 된다. 예를 들면 광동성의 북부에 위치한 챠오저우(조주) 지역에서 통용되는 챠오저우어는 홍콩 인구의 3.4%가 사용하고 있는데, 이 역시 광동어지만 광저우어와는 의사 소통이 안 될 정도로 완전 다른 광동어이다.

이상 소개한 통계 수치가 독자들로 하여금 홍콩 사회 내부를 들여다보도록 안내해 주었다. 좀 더 자세한 내용은 홍콩 정부 통계처(https://www.censtatd.gov.hk/home.html)에서 확인할 수 있다.

홍콩인들이 많이 사는 곳은?
홍콩 10대 주택지

    홍콩의 주택 매매 및 임대 동향 추세를 나타낼 때 언론에 항상 언급되는 지표가 있다. 바로 홍콩의 10대 주택지이다. 홍콩의 신문에는 매주 이 10대 주택지의 주간 거래량을 보도하며 독자들로 하여금 주택 시장의 흐름을 파악하게끔 한다.

    이들 단지들은 좀 오래됐지만 교통이 편리하고 학교나 쇼핑몰 등 교육 및 편의 시설이 잘 갖춰져 있다는 공통점이 있다. 따라서 막 홍콩에 이주해 왔거나 지금 당장 혹은 몇 개월 후 이사를 해야 하는 교민의 경우 아래의 10대 주택지를 고려해 볼 수 있다.

1. 타이쿠싱 (Taikooshing 홍콩섬 동부, 쿼리베이)

    한국인과 일본인이 많이 사는 곳으로 유명한 타이쿠싱은 홍콩

부동산의 동향 및 변화를 파악하게 해주는 주택 시장 1번지의 역할을 한다. 홍콩 사람들의 인식속에 타이쿠싱은 마치 한국의 강남 같은 곳이다. 선박 회사 이전 후 남겨진 넓은 부지에 간척 사업까지 더해져서 대규모 아파트가 들어섰다. 1977년부터 1987년까지 단계별로 아파트들이 세워져 총 61개동에 12,698 가구, 인구 수는 약 3~4만으로 추정된다. 인근 지역에 한국 국제학교, 델리아 스쿨이 있다.

2. 콘힐 (Kornhill 홍콩섬 동부, 쿼리 베이)

타이쿠싱 맞은편에 위치한다. 타이쿠싱이 바다를 끼고 있다면 콘힐 단지는 산길을 따라 들어섰다. 지하철과 쇼핑센터가 연결되어 있어 생활 시설이 편리하고 타이쿠싱에 비해 가격대는 약간 낮다. 1985년 건설이 시작된 이래 총 42개 동에 가구수는 6,648호이다.

3. 헝파췬 (Heng Fa Chuen 홍콩섬 동부, 챠이완)

홍콩섬 동부 거의 끝자락에 위치해 있다. 시내에 있는 타이탁 국제공항의 지리적 여건상 고도가 제한되어 20층으로 낮게 설계되었다. 이 주택지는 원래 돌이 많은 해변이었으나 지하철 개발로 간척 사업이 이루어지며 대규모 아파트 단지가 형성되었다. 홍콩에 태풍이 오면 종종 큰 피해를 입는 지역이기도 하다. 1986년 첫 아파트가 들어섰고 이후 총 48개동에 6,504가구수를 보유하고 있다.

4. 사우스 호라이즌 (South Horizon 홍콩섬 남부, 압레이차우)

압레이차우는 홍콩섬에서 살짝 떨어져 있는 또 하나의 작은 섬이다. 바로 사우스 호라이즌이라는 거대한 아파트 단지가 들어선 곳이다. 1992년 지어진 이후 2000년대 초까지 상당히 많은 한국인이 거주해서 한때 한국 슈퍼마켓까지 운영된 적이 있다. 34개 동에 9,812 가구수인데 대규모 단지수에 비해 주변 쇼핑몰이 작은 단점이 있다. 라마섬에서 배를 타고 오면 맞은편에 보이는 대규모 아파트 단지이다.

5. 메이푸 선췬 (Mei Foo Sun Chuen 구룡 북서부, 라이치콕)

메이푸는 구룡의 교통 중심지이다. 메이푸 선췬은 1968년부터 10년간 8단계 공사를 통해 순차적으로 건설되어 총 99동으로 이루어졌다. 아파트 건물수로는 홍콩 최대이며 가구수도 13,149 세대나 된다. 바다에 인접해 있는데 이곳은 1920년대 간척 사업으로 육지가 된 곳이다.

6. 왐포아 가든 (Whampoa Garden, 구룡 서부, 홍함)

1985~1991년 건설되어 16층 높이의 88개 동이 위치해 있다. 타이탁 공항의 인접성으로 저층으로 세워졌다. 일본인과 한국 교민

의 수가 많은 곳이다. 2차 세계대전 당시 여러 척의 배들이 이곳에 위치한 선박 회사에서 수리를 했는데, 연합군의 폭격으로 300명이 숨진 역사를 지니고 있기도 하다. 10,431 가구에 총 4만 명이 거주하고 있다. 주변의 상가가 크게 형성되어 있는 장점이 있고 침사추이로의 접근성도 좋다. 타이쿠싱과 함께 실평수가 넓은 편이 다.

7. 신웨이 가든 (Sceneway Garden, 구룡 동부, 람틴)

리카싱의 청쿵기업이 건설에 참여한 아파트 단지이다. 동부 해저 터널의 홍콩섬 출구로 나오면 타이쿠싱이고 구룡쪽 출구에는 신웨이 가든이 위치해 있다. 1991년에 지어져 1992년 완공되었고 17개동에 4,112 가구수를 보유한다. 이곳은 산 언덕 위에 위치해 홍콩섬과 빅토리아 하버의 야경을 볼 수 있는 장점이 있다. 주변에 몇 개의 대형 쇼핑몰이 있고 쿤통 APM몰까지의 접근성도 좋다. KGV, 카우룬 주니어 스쿨, 노드 앵그리 등의 국제학교도 가깝다.

8. 라구나 시티 (Laguna City, 구룡 동부, 람틴)

38개동에 총 가구수는 8,072호이다. 바닷가와 쿤통에 인접해 있고 신웨이 가든처럼 배산임수의 지형에 위치하여 레위문과 빅토리아 하버의 경치를 감상할 수 있다. 설립년도는 1990~1994년이며 2개의 클럽 하우스, 주변에 3개의 쇼핑몰을 이용할 수 있다.

9. 시티 원 샤틴 (City One Shatin, 신계, 샤틴)

신계 지역의 최대 아파트 단지이다. 1981년부터 7년간 52개 동이 지어져 10,642 가구수를 보유하고 있다. 원래 이곳은 바다였으나 1979년 간척 사업을 통해 육지가 되었다. 샤틴 칼리지, 아일랜드 스쿨, 르네상스 칼리지 등의 국제학교가 인근에 있다.

10. 킹스우드 빌라 (Kingswood Villas 신계, 틴수이와이)

10대 단지 중 가장 외곽에 위치해 있다. 그 앞으로 흐르는 바다를 건너면 바로 선전이다. 완공 기간은 1991년~1998년이며 58개동에 15,880 가구가 거주하고 있다.

유튜브 <홍콩진솔TV>에서 '홍콩의 10대 주택지는 어디?'를 검색하면 동영상 자료 화면을 볼 수 있습니다.

홍콩에는 푸통화, 광동어 말고
또다른 중국어가 있다?

홍콩 사람들이 보통 사용하는 중국어는 현지 언어인 광동어와 표준어인 푸통화(만다린)이다. 중국어를 모르는 교민들도 홍콩에서 오래 살다 보면 이 사람이 광동어로 말하는지, 아니면 푸통화로 말하는지 정도는 대충 구분을 해내는 것 같다.

그런데, 길가나 상점 혹은 식당 등에서 간혹 이외에 다른 중국어가 들릴 때가 있다. 언어를 업으로 하는 나의 경우 이런 생소한 언어가 유독 민감하게 들린다. 홍콩에서 광동어, 푸통화 말고 다른 중국어도 사용되고 있다는 사실을 알고 있는가?

이것을 언급하기에 앞서 중국의 대표적인 방언에 대해 살펴보도록 하자. 중국은 넓은 땅덩어리만큼 무수히 많은 사투리들이 존재한다. 다음과 같이 크게 7대 방언으로 나눠볼 수 있다.

1. 북방방언: 북경어를 기반으로 하며 중국 한족 인구의 73% 가 사용. 이를 바탕으로 표준어인 푸통화가 제정됨.

2. 오(吳)방언: 상해를 포함한 인근의 절강성, 강소성에서 통용되며 사용 인구는 7.2%.

3. 상(湘)방언: 호남성을 중심으로 한족의 3.2%가 사용. 호남성은 우한이 속해 있는 호북성 아래에 위치한다.

4. 감(贛)방언: 강서성(광동성 북부에 위치) 대부분 지역에서 통용되며 사용 인구는 한족의 3.3%.

5. 객가(客家)방언: 객가인이 거주하는 광동, 복건, 대만, 광서, 강서, 호남, 사천 등 다양하게 분포하며 3.6%가 구사.

6. 민(閩)방언: 복건성에서 많이 사용되어 복건어라고도 한다. 중국의 6개 성에 걸쳐 통용되는데 복건성, 해남도, 광동동부의 조주 등이 이에 속한다. 사용 인구는 5.7%.

7. 월(粵)방언: 소위 말하는 광동어다. 광동성의 중부와 서남부, 광서성의 동부와 남부 및 홍콩과 마카오를 중심으로 전체 한족 4%가 사용.

참고로 위에서 말하는 한족이란 중국의 56개 민족 중 90% 이상을 차지하는 주요 민족이며 나머지 55개는 소수민족이다. 이들 소수민족은 각각 그들 고유의 언어를 가지고 있다.

위 7대 방언들은 각 지역 대표가 서로 자신들의 언어로 떠들면 대화가 안 될 정도로 차이가 크다. 이중 표준어인 푸통화와 가장 큰 차이를 보이는 방언은 민방언과 월방언, 즉 복건어와 광동어이다.

광동어는 그 안에서 다시 광주어, 사읍(四邑:4개 마을)어, 양강어, 계남어로 나뉘어지며 그중 광주 지역을 기반으로 한 광주어가 대표적인 광동어이다. 홍콩인들이 보통 사용하는 언어가 바로 이 광주어이다.

홍콩의 통계청 자료에 따르면 5세 이상 인구 중 16.5%가 광저우어와 푸통화 외에 다른 방언을 구사할 수 있는 것으로 나타나 있다. 여기서 말하는 16.5%에 포함되는 지방 언어 중 가장 많은 비중을 차지하는 것은 객가어, 복건어, 조주어이다. 이중 객가어와 복건어는 위의 7대 방언에 속해 있다. 이글 처음에 언급한 푸통화와 광동어 외에 종종 들린다는 다른 중국어는 이 세 언어 중 하나일 가능성이 크다. 이들에 대해 좀 더 살펴보도록 하자.

객가어는 중국에서 독특한 자기들만의 문화와 사회를 이루어 생활하는 객가(客家) 사람들이 사용하는 언어이다. 객가는 푸통화로는 '커지아', 광동어로는 '하카'라고 부른다. 이들은 옛날 전쟁과 기아등을 피해 남하하여 중국 각 지역에 흩어져 살고 있는데 그중 65%가 홍콩과 광동, 복건 및 대만 등 남중국에 거주하고 있다. 홍콩에는 원주민 객가인이 20~30만, 비원주민 객가인은 100만에 이르고 있어 그 인구가 적지 않다. 이들은 오래전 이주 당시 홍콩의 토착민들과 갈등을 일으키며 정착한 역사를 가지고 있다.

복건어는 복건(중국 발음 '푸지엔')성과 대만에서 주로 사용하는 대표적 지방 방언이다. 복건성은 광동성의 동북쪽에 맞닿아 있고 대만과 가깝다. 내가 일하는 학원이 위치한 홍콩섬 노스포인트는 '작은 복건'이라 불릴 정도로 많은 복건인들이 산다. 홍콩에 약 120만 명의 복건성 출신들이 살고 있고, 그중 상당수가 노스포인트에 군집을 형성해 있다. 우리 건물의 상주 관리인 역시 복건 사람으로 푸통화, 광동어, 복건어 3개 중국어를 할 줄 안다.

조주어는 조주, 중국어로는 챠오져우(潮州)라고 불리우는 지역에서 사용하는 방언이다. 특이한 것은 조주는 지역상 광동성에 속하지만 조주어는 광동어가 아닌 복건어의 한 부류이다. 발음이 광동어보다는 복건어에 가깝기 때문이다.

홍콩에는 적어도 70만의 조주인들이 거주하고 있는 것으로 알려져 있다. 유명한 아시아 재벌 리카싱도 조주 사람이다. 참고로 조주 음식은 홍콩 사람들의 많은 사랑을 받고 있어 곳곳에서 조주 식당을 볼 수 있다. 식당 간판에 '潮(조)'가 쓰여 있으면 대개 조주 식당이며 이곳의 대표적 요리인 거위가 목을 늘어뜨린 채 걸려 있다.

통계에 의하면 홍콩 인구의 40%는 타지역 출신들이다. 따라서 이들이 사용하는 중국어 또한 다양할 수밖에 없다. 홍콩에서 사용하는 다양한 중국어의 언어적 특성을 통해 또다른 사회의 이면을 이해할 수 있었으면 한다.

검색어로 보는 홍콩인들의 방역 생활:
마스크, 한국 드라마, 요가

코로나 바이러스로 인한 지루한 방역 생활이 몇 개월째 이어지고 있다. 직장인들은 재택 근무, 학생들은 온라인 수업으로 모두가 집에 머무르는 시간이 많아지며 주부들은 코로나가 아니라 식구들 때문에 죽겠다고 아우성이다.

야후 홍콩은 최근 3개월간 방역 관련 가장 많이 검색된 검색어 순위를 공개하여 홍콩 사람들이 요즘 시기를 어떻게 극복하고 있는지 가늠케 했다. 마스크, 한국 드라마 시청, 요가가 3대 키워드로 선정되었다. 자세한 내용을 살펴보자.

1. 방역 관련 제품 검색어 1~10위

1,2위 모두 마스크로 중국어와 영문으로 검색되었다. 얼마전까

지 마스크와 함께 대란을 겪은 두루마리 휴지와 쌀도 조회수가 높았다. 이중 6위에 올라있는 '兩盒thanks'는 유행어이다. 홍콩 사람들이 페이스북의 마스크 판매 글을 보면 바로 '두 박스, thk (thanks)'라고 댓글에 다는 것에서 유래됐다.

1. 口罩 (마스크)	6. 兩盒thanks (두 박스 감사)
2. mask (마스크)	7. 乙醇 (에탄올)
3. 厠紙 (두루마리 휴지)	8. 米 (쌀)
4. 漂白水 (표백제)	9. 搓手液配方 (자가제조 손 세척제)
5. 酒精搓水液 (손 세척제)	10. 酒精棉 (알코올 솜)

2. 건강 관련 용품 및 인물 검색어 1~10위

1위부터 10위까지를 크게 3가지로 요약해 볼 수 있을 거 같다. 요가와 하이킹, 그리고 피트니스이다. 내 주위의 홍콩 사람들, 특히 여성들을 보면 정말 평소에도 요가를 많이 한다.

3위에 올라있는 엘바 니(Elva Ni)는 위 순위 중 유일한 '인물'이다. 배우이자 방송인인데 뛰어난 미모와 요가, 미용 등으로 인기를 얻고 있다. 구독자 수 20만 명 이상의 유튜브도 운영 중이다. 궁금하면 들어가 보시라. 나도 좀전에 '좋아요' 한 번 찍고 나왔다.

5위에 올라있는 닌텐도 스위치는 한국에서 폭발적인 인기를 끌고 있는 닌텐도 스위치 전자 게임과는 다른 종류이다. 위 제품은 실내 운동을 할 수 있게 만든 게임 및 운동 병행 제품이다.

상위 10위에서 하이킹 관련 검색어가 4개나 있다. 얼마전 현지 신문에서 하이킹에 몰리는 사람수가 몽콕의 행인들보다 많다는 기사를 봤다. 사람들이 실내만 있자니 답답해서 인적이 드물 것 같은 산행을 택한 것인데 나만 그런 생각을 한 게 아니었던 것이다.

1. 瑜伽 (요가)	6. 健身單車 (실내 자전거)
2 行山路線 (하이킹 코스)	7. 健身器材 (헬스 기구)
3. 倪晨曦 (엘바 니)	8. 郊野公園 (야외 공원)
4. 行山鞋 (등산화)	9. 健身中心 (피트니스 센터)
5. Switch健身環 (닌텐도 스위치)	10. 行山裝備 (하이킹 장비)

3. 오락 프로그램 검색어 1~10위

이 순위에서 무려 50%가 한국 프로그램이고 영광의 1위도 한국 연속극이다. 3, 6위는 홍콩의 TVB 방송 드라마이고 2, 4위와 8위는 각각 중국 본토 및 대만 드라마이다. 약 10년 전 '시크릿 가든'을 통해 홍콩에서 최고의 인기를 얻었던 현빈은 '사랑의 불시착'으로 다시 한번 'oppa'(오빠)가 살아있음을 보여주었다. 홍콩의 한 인터넷 신문에는 '사람의 불시착도 끝나고 이태원 클라쓰도 끝나고.. 이젠 뭘 보지'라는 제목이 붙은 연예 기사가 올라오기도 했다. 이 기사에서 후속 추천 작품으로 소개한 새 드라마는 한국에서 인기가 높은 '부부의 세계'였다.

1. 爱的迫降 (사랑의 불시착)	6. 大醬園
2. 慶餘年	7. 李屍朝鮮 (킹덤)
3. 法證先鋒4	8. 想見你
4. 三生三世枕上書	9. 上流寄生族 (기생충)
5. 梨泰院class (이태원 클라쓰)	10. running man (런닝맨)

한편 7위를 기록한 '킹덤'의 중국어 제목이 재미있어 잠깐 소개한다. '이씨 조선(李氏朝鮮)'에서 중간의 '씨(氏)'를 '시체 시(屍)'로 바꿔 '이시 조선(李屍朝鮮)'로 표현했다. 두 글자의 한국어 발음도 '씨'와 '시'로 비슷하지만, 중국어 발음은 둘 다 'shi'가 되어 아예 같다.

부연하자면 홍콩 사람들은 '부산행', '킹덤'같은 좀비극에 열광하는 것 같다. 홍콩에서 개봉된 한국 영화 중 역대 최고 흥행 1위는 '부산행'이다. '부산행'은 이 기록을 14년간 보유해 온 '엽기적인 그녀'를 개봉 3일만에 깨뜨리는 기염을 토하기도 했다. 좀비극 팬덤이라.. 하긴 홍콩에도 그 유명한 '강시선생'이 있지 않은가.

한국 드라마와 예능 프로그램의 강세는 오랜 기간 이어지고 있다. 이로 인해 홍콩에서 한국어의 인기 또한 늘 뜨겁다. 하지만 최근 상황은 필자가 한국어 수업을 하는 대학 기관의 개강을 지연시키고 있다. 순위에서 반이나 차지하고 있는 위의 한국 프로그램들을 보며 한국어를 배우고 싶어하는 사람들도 많을 텐데.. 요즘 '한국어 수업', '한국어 공부'의 검색어는 몇 위 정도에 올라 있을까.

완차이 클라쓰 VS 이태원 클라쓰

최근 6년전 '미생' 이후 처음으로 드라마를 한 편 보게 되었다. 얼마전 종영된 '이태원 클라쓰'이다. 드라마 주제곡 '시작'이라는 노래가 너무 좋았고 드라마의 주요 장면을 담은 뮤직 비디오가 나의 관심을 끌었기 때문이다. 이 드라마는 홍콩에서도 꽤 인기를 얻었다.

드라마 내용은 이렇다. 주인공 박새로이(박서준 분)가 자신의 부친을 사망에 이르게 한 요식업 재벌 아들과 이 사건을 덮어버린 그의 아버지에 복수하기 위해 같은 요식업 기업으로 성장하여 성공 신화를 쓴다는 줄거리이다. 여기서 박새로이는 올바른 원칙과 소신을 가지고 불의와 부당한 유혹을 거부하며 맨주먹으로 최고의 자리에 오른다.

그런데 홍콩에서도 박새로이와 견줄만한 인생을 살아온 인물이 있어 소개하고자 한다. 그 주인공은 '완차이 마터우(灣仔碼頭)'의 장지엔허(臧健和)이다. '완차이 마터우'는 냉동 식품 브랜드이고 '마터우'는 부두라는 뜻이다. 장지엔허는 이 회사의 여성 창업주이다. '완차이 마터우'는 홍콩 사람이라면 모르는 이가 없을 정도로 유명한 브랜드다.

이 실존 성공 신화의 주인공과 '이태원 클라쓰'의 박새로이는 둘 다 백지에서 시작하여 요식업계의 최고에 올랐다는 공통점이 있다. 지금부터 '완차이 마터우' 아니, '완차이 클라쓰'의 드라마 같은 이야기를 풀어 보겠다.

1945년생 장지엔허는 중국 산동 칭다오 출신으로 태국 국적의 화교 남편 사이에 두 딸을 낳았다. 어느 날 남편이 그의 아버지가 사망하자 자산을 상속받기 위해 태국으로 간다. 그리고 3년 후 그녀가 남편을 만나러 태국에 갔을 때 그의 옆에는 재혼해 같이 사는 새 부인이 있었다.

장지엔허는 바로 두 딸을 데리고 다시 고향으로 돌아가는 배에 몸을 실었다. 그런데 도중에 경비 문제로 홍콩 땅에 머물러야 했다. 홍콩에는 아무 친척, 지인의 연고도 없었고 심지어 광동어를 쓰는 현지인들과 언어조차 통하지 않았다. 그녀는 어린 딸들을 먹여 살리기 위해 식당 설겆이, 화장실 청소부, 야간 진료 간호사 등 하루 3가지 일을 하면서 매일 20시간 일을 했다고 한다. 먹고 살기 위해 닥치는대로 일했고 그러다 허리 뼈에 금이 가고 당뇨병까지 얻게 된다.

이때 한 친구가 장지엔허에게 만두 빚는 솜씨가 좋으니 장사를 해 보라 권한다. 용기를 얻은 그녀는 돌봐줄 사람이 없는 두 딸을 데리고 완차이 부두 근처에서 만두 노점을 시작하게 된다.

하지만 피가 두껍고 고기가 많이 든 그녀의 북방식 만두는 피가 얇고 새우를 주 원료로 하는 남방식 만두 '원툰'과 달라 시행착오를 겪는다. 이후 현지인의 입맛과 스타일에 맞게 개량해 나가면서 점차 호평을 받기 시작한다. 이때 기회가 찾아온다.

1983년 한 일본인들의 파티에 그녀가 만든 만두가 선을 보인다. 모임에 참석한 일본의 다이마루 백화점 사장의 딸이 그 만두를 앉은 자리에서 20개나 먹으며 아빠의 시선을 끌게 된다. 상품 가치를 발견한 사장이 장지엔허를 찾아가 자신의 백화점에 만두 공급 및 판매를 위한 계약을 제시한다. '이태원 클라쓰'에서 박새로이가 투자자들을 만나 날개를 달았듯이 말이다. 하지만 그녀는 그 절호의 기회를 거절한다.

거절한 이유는 사장이 그녀의 만두 포장에 일본 백화점 브랜드를 사용하도록 제안했기 때문이다. 계약을 거절하고 집에 돌아온 그녀에게 두 딸의 원성이 폭발했다. 그녀는 당시 이렇게 말했다. "이건 내가 만든, 중국 제품이야. 그리고 일본인들이 내 노하우를 배껴가고 나면 엄마는 버림받게 될걸". 어떤가? 이 부분은 자신의 소신이 확실한 박새로이와 많이 닮아 있지 않은가?

그 일본인 사장은 결국 장지엔허의 주장을 받아들여 그녀의 제품은 자신의 브랜드 '완차이 마터우'의 이름을 달고 당당히 일본 백화점에 출시된다. '완차이 마터우', 즉 완차이 부두는 자신의 삶과 땀, 그리고 꿈이 스며있는 생활 터전이었던 것이다.

공장 설립을 통해 대량 공급이 이루어지면서 그녀의 브랜드는 홍콩에서 유명세를 타게 된다. 그리고 1997년, 미국의 대기업 필스배리 컴퍼니(Pillsbury company)측이 무려 미화 6,400만 달러를 투자하며 중국의 상하이, 광저우에 공장을 세우고 중국, 미국, 유럽 등 국제 시장 공략에도 성공한다. 남편에게 버림받은 한 주부가 40년이 지나 타지에서 한화 1조에 가까운 자산 보유자가 된다는 해피앤딩으로 그녀의 성공신화는 끝을 맺는다.

한 편의 드라마 같은 장지엔허의 인생 이야기는 TV 연속극으로도 제작되었다. 1995년 홍콩의 TVB에서 방영된 연속극 '만두황후 (水餃皇后)'는 그녀의 일대기를 담고 있다. 이 만두 황후는 교육 사업에도 헌신하여 중국에 학교를 설립했고, 홍콩 중문대에는 자신의 이름을 딴 교육관(Chong Kin Wo Hall)이 세워지기도 했다. 2019년, 장지엔허는 지병인 당뇨와 합병증으로 별세했다.

그녀는 최고의 원료로 정성을 쏟아 만든 것을 성공 비결로 꼽는다. 한국에 '이태원 클라쓰' 박새로이가 있다면 홍콩에는 '완차이 클라쓰' 장지엔허가 있었다. 오늘 슈퍼에 간다면 '완차이 마터우'를 장바구니에 담아 보자. 그녀의 파란만장한 인생이 녹아 있는 만두에 여러가지 맛이 느껴질 듯하다.

드라마 '이태원 클라쓰'

완차이 마터우의 장지엔허 (출처: 明報)

바다를 깔고 앉은 도시
홍콩의 간척 사업

홍콩의 아파트와 지하철, 빌딩들이 들어선 많은 지역들이 예전에 바다를 메워 육지가 된 곳이라는 사실을 알고 있는가. 홍콩하면 떠오르는 이미지는 '백만불짜리 야경', '미식의 천국', '쇼핑의 천국', '아시아의 금융 중심' 등일 것이다. 여기에 '바다를 깔고 앉은 도시' 라는 새로운 칭호를 하나 더 붙여주고 싶다.

1800년대부터 급증하는 인구 및 도시 개발의 필요성에 의해 홍콩 정부는 일찌감치 간척 사업에 눈을 돌렸다. 그리하여 1842년 시작된 일련의 대형 프로젝트들은 지금도 현재 진행형으로 홍콩의 지도를 바꿔나가고 있다.

1. 유명지: 빅토리아 공원, 완차이 홍콩전람센터, 첵랍콕 국제 공항, IFC 2, ICC빌딩

홍콩의 대규모 집회 장소로 유명한 코스웨이베이의 빅토리아 공원은 제 2차 세계 대전 후 바다를 메워 공원이 된 곳이다. 코스웨이베이의 중국어 지명은 통루오완(銅鑼灣)이다. 바다를 끼고 있는 이 지역의 모양이 중국의 전통 타악기인 통루오처럼 생겼다고 해서 붙여진 이름이다. 통루오의 모양은 한국의 징과 유사하다. 하지만 간척사업으로 빅토리아 공원이 들어서면서 그 이름이 무색해졌다.

빅토리아 하버를 돋보이게 하는데 일조하는 완차이 전람센터는 1990년대, 바다위에 땅을 지어 들어섰다. 침사추이를 둘러싸고 있는 스타 페리, 우주 박물관, 스타의 거리 등도 원래는 바다였다. 홍콩의 관문인 첵랍콕 국제공항 또한 빼놓을 수 없다.

2차 세계대전 후 홍콩은 공업용지가 턱없이 부족하였다. 이로 인해 홍콩 정부의 승인하에 쿤통 지역이 개발되며 대규모의 간척 사업이 진행된다. 1950년대 말, 쿤통은 홍콩 최초의 신도시로서 많은 공장과 건물, 주택들이 들어선다. 현재 홍콩 인구의 10%에 육박하는 사람들이 거주하고 있는 쿤통은 인구밀도 1위 지역이기도 하다.

그후 이 일대의 간척 사업은 60~70년대 카우룬베이로 연결 되어 인근에 넓은 부지가 형성되었다. 카우룬베이의 유명한 쇼핑몰인 메가 박스는 이런 배경하에 세워진 곳이다. 카우룬베이 역시 코스웨이베이와 마찬가지로 이제는 '베이'라는 이름을 떼어내어야 할 것 같다. 바다가 육시속으로 피고 들어와 형성된 '베이'가 현재에 와서는 유명무실해졌기 때문이다.

홍콩은 고층빌딩이 빽빽하게 들어선 도시로도 유명한데 적지 않은 건물들이 바다위에 세워졌다. 센트럴의 IFC 2는 2011년까지 홍콩에서 가장 높은 빌딩이었다. 높이 90층, 62대의 엘리베이터를 보유하고 있는 IFC 2는 2003년에 지어졌다. 이 일대는 1990년대 이전까지 바다였었다. 센트럴의 주요 빌딩 중 하나인 익스체인지 스퀘어 및 구멍이 숭숭 나 있는 모양으로 유명한 자딘 하우스 빌딩도 1960년대 간척사업을 통해 육지로 변모된 곳에 들 어섰다.

홍콩에서 가장 높은 빌딩 역시 간척지에 있다. 바로 2011년 서구룡에 준공된 ICC빌딩이다.

IFC 2 (좌, 출처:Wikipedia)와 ICC 빌딩(우, 출처: Archdaily)

2. 지하철 노선: 셩완역 - 완차이역, 올림픽역 - 남창역

유명한 건물 및 명소 외에도 홍콩의 주요 지하철 노선 또한 바다를 메운 육지 속에서 건설된 곳들이 많다. 홍콩섬의 경우 구룡과 연결되는 홍콩역, 그리고 셩완역과 센트럴역, 완차이역 등이 그렇다. 센트럴역 및 그 주변은 이미 1860년대에 간척 사업이 이루어졌고 셩완역 일대의 프로젝트는 1890년대로 거슬러 올라간다. 구룡쪽은 구룡역, 올림픽역, 남창역으로 연결되는 노선이 대표적이다.

3. 주택지: 타이쿠싱, 헝파췬, 메이푸 선췬, 시티원 샤틴

지난 칼럼을 통해 홍콩의 10대 주택 단지에 대해 소개한 바 있다. 그중 홍콩섬의 타이쿠싱과 헝파췬, 구룡의 메이푸 선췬, 그리고 신계 지역의 시티원 샤틴이 간척지에 속한다.

지역으로 보면 정관오, 타이포, 췬완, 튄문, 샤틴, 퉁청을 들수 있다. 췬완의 경우 인구수 19만 중 8만이 바다를 메운 육지 위에 거주하고 있다. 최근 들어 대규모 아파트 단지가 조성된 정관오는 680핵타르의 매립이 이루어져 그중 81%가 주택지로 공급되었다. 퉁청은 간척 사업을 통해 130 핵타르의 토지가 생겼고 이중 70%가 주택지이다.

지하철 노선에서 언급한 구룡역~남창역 주변의 서구룡 해안선은 1990년대에 현재의 모습으로 형성되었다. 이후 이 일대는 새 아파트들이 속속 들어선다. 서구룡, 정관오, 퉁청은 모두 비교적 최근에 한국 교민수가 급증한 곳이기도 한데 대부분 바다위에 살고 있는 셈이다.

　　이와 같이 간척 사업의 역사를 살펴본다면 필자가 서두에 언급한 '홍콩은 바다를 깔고 앉은 도시'라는 말에 수긍이 될 것이다. 홍콩 정부의 발표에 의하면 2013년 기준 홍콩 전체 토지의 7%가 간척 사업으로 매립된 곳이다. 주어진 공간을 효율적으로 사용하는 것도 모자르니 아예 곳곳에 공간을 창조해 버리는 홍콩의 간척 사업은 이 도시의 발전을 위한 숙명일지도 모르겠다.

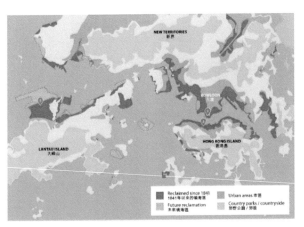

진한 갈색으로 표시된 부분이 간척지이다. (출처: Cathay Pacific Discovery)

당황스러운 홍콩의 문화,
독특한 홍콩의 풍경

   한국 사람들의 눈에 독특하고 특별하게 비춰지는 홍콩의 문화에는 어떤 것들이 있을까? 지난 주말, 한국에 살고 있는 레오 씨와 제니 씨가 언어 교환 모임에 참석하여 홍콩에서 생활한 경험이 있는 한국 사람 예진 씨와 현빈 씨를 만났다. 이 가상 인물들이 경험한 독특한 홍콩의 문화를 대담 형식으로 실어 본다.

예진: 레오 씨와 제니 씨는 이제 한국 문화에 많이 적응했어요?
제니: 점점 익숙해지고 있어요. 그런데 예진 씨와 현빈 씨도 처
      음에 홍콩에 왔을 때 문화 차이 때문에 당황했던 적이 있을
      거 같아요. 뭐가 있었어요?
현빈: 가장 당황스러웠던 때는 식당에서였어요. 모르는 사람과 한

식탁에서 식사하기 문화죠. 소개팅하는 것도 아니고 모르는 아가씨와 마주 보고 식사를 하니 밥 먹다 체하겠더라구요 (웃음).

예진: 저는요, 홍콩 남자들 말이에요. 제발 웃통 좀 안 벗고 뛰었으면 좋겠어요. 사실 한국에서는 볼 수 없는 풍경이거든요.

현빈: 제가 보니까 상의 탈의하며 뛰는 남자들은 어느정도 몸에 자자신이 있는 사람이더라구요. 일종의 자기 과시?

예진: 제가 이거에 대해 어떻게 생각하냐고 홍콩 직장 동료에게 물어본 적이 있어요. 그 여자분은 "해수욕장 가도 다 벗고 다니잖아요. 똑같아요"며 대수롭지 않게 여기더라구요.

레오: 하하, 저는 보여줄 게 없어 항상 위에 하나는 입고 뛰었는데.. 그런데 빨래를 줄이기 위해 맨몸으로 뛰는 사람들도 있어요.

예진: 아, 그리고요. 처음 홍콩 갔을 때 빵빵한 에어컨 때문에 고생했던 기억이 나요. 쇼핑 센터나 극장, 기타 공공 장소에 들어 가면 냉장고 안에 있는 거 같았어요. 나중에는 실내에서 입을 겉옷을 항상 가지고 다녔죠.

현빈: 맞아요. 저도 한번은 홍콩에서 거래처의 사무실에 갔었는데 그때가 8월의 한여름이었어요. 에어컨을 엄청 세게 틀어 놓은 채 직원들은 스웨터를 입고 일하더라구요. 정말 이해하기 어려웠어요.

레오: 에이, 한국은 안 그런가요? 한겨울에 실내 난방이 너무 더워

집에서 내의 입고 다닌다고 들었어요.

현빈: 아.. 그렇긴 하네요. 홍콩 사람들은 한여름에 실내에서 스웨터를 입고, 한국인들은 한겨울에 집에서 내의만 입고 돌아다니고.. 재미있네요. 하하~

예진: 어쨌든 홍콩 사람들은 에어컨 중독증이 있는 게 아닌가 의심하곤 했어요. 여름은 그렇다쳐도 심지어 겨울에도 에어컨을 틀고 춥게 지내는 건 납득이 안 가요. 저는 겨울에 홍콩의 버스나 지하철을 타면 너무 추웠어요.

제니: 홍콩 사람들은 에어컨으로 습기를 제거하려 해요. 겨울에도 비가 자주 오고 습하거든요.

예진: 에어컨이 없던 시절에는 어떻게 견디며 살았을까요?

레오: 저희 할아버지한테 들었는데요. 옛날에는 홍콩이 지금처럼 덥지 않았대요. 빌딩, 아파트들이 빽빽하게 들어서면서 바람도 안 통하고 주변 환경들이 밀집되어 도시의 온도가 높아진 거죠.

제니: 화제를 약간 바꿔 볼까요? 현빈 씨와 예진 씨가 홍콩에 처음 왔을 때 독특하고 인상적이라고 느꼈던 사회 풍경은 뭐였어요?

예진: 저는 홍콩 사람들의 줄서기 문화가 인상적이었어요. 특히 사람들이 엘리베이터 앞에서도 줄을 서는 장면은 저에게 이색적이더라구요.

현빈: 정말 그곳 사람들은 줄서기와 인내심의 달인인 거 같아요. 어디서나 줄을 서잖아요. 식당에서 번호표 뽑고 20~30분 기다려도 누구 하나 짜증나 보이는 사람이 없어요.

제니: 그건 그런데 사실 홍콩인들은 성격이 급해요. 바쁘게 돌아가는 사회 분위기와 스트레스 때문인 거 같아요. 식사와 걸음 걸이가 모두 한국 사람처럼 빠르고 급해요. 홍콩의 에스컬레이터는 오히려 한국보다 더 속도감 있잖아요.

현빈: 식당하니까 생각하는데요. 저는 홍콩의 가족 동반 얌차 문화가 인상적이더라구요. 일요일에 할아버지, 할머니를 모시고 가족들이 차를 마시며 딤섬을 먹는, 즉 얌차(飮茶)를 즐기는 모습이 보기 좋았어요. 제 홍콩 지인들 중에도 주말이면 가족들과 얌차를 한다는 사람들이 꽤 많았던 거 같아요.

제니: 홍콩이 세계 최고의 장수 국가인데 그 요인 중 하나가 가족과의 얌차 문화 때문이라는 신문 기사를 본 적이 있어요. 얌챠를 통해 즐겁게 대화하면서 스트레스도 풀고 노인들도 돌보기 때문이라는 거죠.

예진: 반대로 저는 맥도날드 같은 패스트푸드점에서 아침에 혼자 식사를 하는 할아버지나 할머니도 많이 봤어요. 그런 노인들은 참 쓸쓸하고 안쓰러워 보였어요.

현빈: 맞아요. 홍콩의 거리를 지나다 보면 양로원, 노인원의 간판이 유독 눈에 많이 띄었는데요. 이것도 홍콩의 독특한 사회적

풍경 중 하나인 거 같아요.

레오: 통계에 의하면 홍콩의 양로원 수가 700곳이 넘고 7만 명을 수용할 수 있다고 하더라구요. 그런데 시설이 대개 열악한 편이에요. 65세 이상 인구의 6.8%가 양로원에 기거하고 있대요. 이것은 선진국 평균인 3~5% 보다 높은 수치구요. 홍콩의 양로원 문화가 발달한 것도 이유겠지만, 근본 원인은 각 가정의 경제적 부담 및 가족 중 돌볼 수 있는 사람이 없기 때문일 거예요. 맞벌이하는 가정이 많잖아요.

예진: 오늘 대화 즐거웠어요. 제가 홍콩에 가 보니까 한국과 비슷한 문화도 많지만 다르거나 이색적인 부분도 많더라구요. 문화의 차이를 잘 이해하고 받아들인다면 서로 다른 환경에서 생활하는 데 많은 도움이 될 거예요.

홍콩의 종교 인구
3위는 기독교, 1,2위는?

　　홍콩에서 종교가 있는 사람과 없는 사람 중 어느 쪽이 더 많을까? 통계에 따르면 종교를 갖고 있는 사람이 44%에 달하는 것으로 나타난 바, 신앙 활동을 하지 않는 사람들이 좀 더 많은 것 같다. 오늘은 홍콩의 종교에 대해 알아보는 시간을 가져 본다.

불교와 도교 (27%)
　　홍콩 정부의 통계 수치를 보면 가장 많은 신도를 갖고 있는 종교는 불교와 도교이다. 두 종교가 홍콩 인구에서 차지하는 비율은 약 27%이다.

　　우선 홍콩의 불교신자는 백만 명 정도인 것으로 알려져 있는데, 불교는 비교적 최근에 와서 다시 융성해졌다. 20세기 초, 2차 세계

대전 및 중국 대륙이 혼란을 맞으면서 민중의 구원을 가져다줄 종교로 불교가 다시 중흥기를 맞게 된다. 그 후 1997년 홍콩이 중국에 반환되었고 둥지엔화(董建華)가 첫 행정장관에 임명되었다. 그는 기업인 출신이면서 불교 신자이기도 했다. 홍콩 반환 후 기존의 공휴일이었던 영국의 여왕 탄신일 대신 부처님 오신 날이 공휴일로 대체되었다.

현재 홍콩에서 불교를 연구하는 대표적인 기관은 홍콩대학이다. 홍콩대 안에 불교 연구 센터가 설립되어 있으며 각각 석사 및 박사 과정이 설립되어 있다. 이를 통해 관련 인사들이 배출되면서 불교는 홍콩 주류 문화의 일부가 되었다. 그리고 이들은 각 계층에서 증가하고 있는 추세이다. 홍콩의 최대 갑부 리카싱도 독실한 불교 신자로 알려져 있다.

도교의 경우 약 백만 명의 신자를 보유하고 있으며 홍콩에 300여 개의 관련 사당과 사원이 있다. 홍콩의 산업 활동은 예로부터 어업 등 바다와 관련이 많다. 그래서 홍콩 곳곳에서 바다의 신, 기후의 신을 모시는 사당을 볼 수 있다.

또한 대표적 도교의 신으로 삼국지 관우를 빼 놓을 수 없다. 관우는 '충성, 의, 믿음, 용기' 등을 상징하는데 재미있는 것은 경찰뿐만 아니라 조폭들도 관우를 신으로 모신다는 사실이다. 홍콩 영화를 보면 조폭들이 관운상 앞에서 향을 올리며 기도하는 모습이 등장하곤 한다.

홍콩에서 불교와 도교는 유교까지 더해져 융합된 모습을 띠고 있다는 점이 특징이다. 홍콩의 대표적 사원인 윙타이신은 불교와 도교, 유교가 결합되어 있다. 이 세 종교는 인과응보, 즉 선행에는 보상이 따르고 악행에는 벌을 받는다는 공통 사상을 담고 있다. 또한 각각 학교, 양로원, 자선 단체 설립을 통해 봉사 활동을 활발히 하며 사회 발전에 기여하고 있다.

기독교 (6.7%)와 천주교 (5.3%)

홍콩에서 기독교 모임의 공식적인 시작은 1841년으로 거슬러 올라간다. 현재는 약 48만 명의 기독교인이 거주하고 있다. 인구 비율로는 6.7%에 해당한다. 또한 60여 종파의 교회가 운집되어 있는데, 이는 기독교 역사상 보기 드문 다원화된 종파의 밀집 현상을 보여주는 것이기도 하다.

홍콩의 기독교는 전파 당시 선교사들이 서양과 중국 문화의 중개인 역할을 하면서 사회 발전에 이바지하였다. 예를 들면 홍콩 역사상 최초의 서양식 학교인 영화서원(英華書院)과 성바오로 서원은 모두 기독교 학교로서, 중국어와 영어로 수업이 이루어졌다. 뿐만 아니라 홍콩의 기독교는 청나라 말에 혁명 운동에도 기여하게 된다. 기독교 문명이 중국 지식인들의 시야를 넓혀주며 서방 세계의 '민주' 및 '공화'라는 관념을 심어주게 된다. 이것은 이후 청나라를 무너뜨리고 신중국을 설립하는 계기가 되는 손문의 신해혁명

사상에도 영향을 끼친다.

홍콩에서 공식적인 천주교 활동의 시작은 1841년으로 기록되어 있다. 당시에는 홍콩에 파견된 영국군의 신앙 생활을 돕는 일을 주로 하였다. 현재 256개의 천주교 학교 및 유치원이 세워져 있고 약 379,000명의 신자를 보유하고 있다. 그리고 6개의 병원, 13개의 클리닉, 43개의 사회 복지 서비스 센터, 23개의 호스텔, 16개의 노인원, 27개의 재활 치료 센터를 제공하고 있다. 홍콩의 절반에 해당하는 학교와 사회 복지 단체가 기독교 및 천주교 재단이다.

이슬람교(4.3%) 및 기타 종교

이슬람교를 믿는 무슬림 인구는 홍콩에 약 30만이다. 중국인은 5만, 인도네시아와 파키스탄, 그리고 중동 등에서 온 외국인 무슬림이 15만인 것으로 알려져 있다. 이중 인도네시아와 필리핀 가사 도우미들이 10만을 차지한다.

이 외에도 전체 인구의 1.4%인 약 10만 명이 힌두교 신자이다. 이들은 인도, 네팔, 싱가포르, 태국, 그리고 다른 아시아 국가에서 온 사람들로 해피 밸리에 있는 힌두교 사원이 종교 활동의 중심지 역할을 하고 있다.

19세기부터 활동한 유대교인들의 모임도 있다. 세계 다른 나라들과 마찬가지로 홍콩에서도 유대인들은 끈끈한 연결 고리를 형성하며 같은 민족의 상업 활동을 도와왔다. HSBC는 유대인인 사순

가문과 밀접한 관련이 있었고, 1800년대에는 유대인들이 페닌쉴라 호텔 등 홍콩의 유명 호텔들을 관리하였다. 구룡의 조던 로드 (Jordan Road)는 1904년부터 1907년까지 재임한 홍콩 총독 마태 조던을 기념하여 명명하였다. 그는 역대 홍콩 총독 중 유일한 유대인이었다.

홍콩이 동양과 서양의 문화 교차점에 있는 것처럼 종교 역시 동서양이 조화를 이루는 문화 중 하나로 자리잡아 왔다는 특징을 보이고 있다. 또한 불교 건축 양식을 한 샤틴의 크리스트 템플 (Christ Temple) 교회처럼 서양의 종교가 토착화되면서 현지의 영향을 받으며 발전한 것도 홍콩의 종교에서 볼 수 있는 특징 중 하나라 할 수 있다.

홍콩 사람들이 사랑한
홍콩의 영화는?

코로나 바이러스가 잠잠해지는가 싶더니 다시 실내 활동에 주력해야 하는 상황이 되었다. 답답하지만 바깥의 세계가 안전해질 때까지 우리는 다시 가정에서 영화, 드라마, 유튜브 시청이나 개인 취미 활동을 하면서 보내야 한다.

필자는 이번 주말에 무슨 영화를 볼까 고민하던 중 얼마 전 읽었던 한국의 영화 관련 기사가 하나 떠올랐다. 한국의 역대 상영 영화 중 흥행 1위에 올라있는 '명량'의 후속편이 곧 촬영에 들어간다는 뉴스였다. 이번에 제작되는 2편의 제목은 '한산'인데, 이순신 장군의 한산 대첩을 다룬 내용이다. 그리고 마지막 3편인 '노량'까지 기획중이라고 한다. '한산'의 이순신 역에 박해일이 캐스팅

되었고 이 외에도 안성기, 변요한, 손현주, 택연 등 출연진이 화려하다.

이때 문득 생각나는 것이 있었다. 홍콩에서 상영된 영화 중 역대 흥행 1위는 무엇일까? 한국처럼 국내 영화가 1위일까 아니면 외화일까? 홍콩 사람들이 가장 많이 본, 이들이 사랑한 홍콩 영화는 무엇일까?

< 홍콩내 역대 상영 영화 중 최고 흥행 10편 >

1	어벤져스 4
2	아바타
3	어벤져스 3
4	어벤져스 2
5	타이타닉
6	캡틴 아메리카 3
7	아이언 맨 3
8	트랜스포머 4
9	어벤져스 1
10	쥬라기 공원 (2015)

관객수를 집계하는 한국과 달리, 홍콩의 흥행 순위는 매출액을 기준으로 한다. 순위를 보면 10위 안에 '어벤져스' 시리즈가 무려

4 편이나 들어 있다. 흥행 1위 역시 '어벤져스' 시리즈 중 가장 최근(2019년)에 개봉한 제 4편이다. 어벤져스 용사들이 홍콩을 굳건히 지켜주고 있는 것이다. 한편 홍콩 영화는 순위 밖으로 밀려 있다.

참고로 역대 흥행 순위 50위 안에 한국 영화도 한 편 있어 눈길을 끈다. 2016년 개봉된 '부산행'이다. 전체 순위 24위며 이는 홍콩내에서 상영한 아시아 영화 중 역대 1위이기도 하다. '부산행'의 후속격인 '반도'가 이달 15일에 홍콩, 대만, 싱가폴에서 한국과 동시 개봉 예정이었으나, 최근 악화된 바이러스 상황으로 홍콩에서의 상영만 연기되었다.

이제 홍콩 영화 순위를 살펴보겠다. 전체 순위 중 8위에 올라 있는 '트랜스포머 4'의 제작 국가가 미국, 중국, 홍콩으로 되어 있지만 완전 홍콩 영화라고 보기는 어렵다. 그럼 순수 홍콩 영화 중 1위는? 영웅본색? 무간도?

결과가 다소 의외이다. 한국어 수업 시간에 홍콩 학생들에게 퀴즈로 물어봐도 맞추는 사람이 없었다. 바로 '코드네임: 콜드워(寒戰 2)'인데 '콜드워' 시리즈 중 제 2편이다. 전체 흥행 순위에는 26위에 올랐다. 6천 6백만 달러의 흥행 기록을 남긴 바, 영화표를 평균 HK$80원으로 계산해 본다면 약 80만 명 정도의 홍콩 사람들이 관람한 것으로 추정된다.

< 홍콩내 상영된 자국 영화 중 최고 흥행 10편 >

1	코드네임: 콜드워(寒戰 2)
2	쿵푸 허슬
3	소림 축구
4	엽문 3
5	폴리스 스토리 4
6	홍번구
7	미인어
8	무간도
9	도신2
10	장강 7호

그래서 나는 어제 당장 이 영화를 골라 보았다. 8, 90년대 홍콩 4대 천황 곽부성을 주인공으로 주윤발, 양가휘, 양채니 등 예전에 한가닥하신 분들이 열연하였다. 여기에 대만의 젊은 톱스타 펑위옌까지 합세하여 출연진만 놓고 보면 호화 캐스팅이라 할 만하다. 아, '영웅본색'에서 악당 두목으로 나온 이자웅도 등장한다.

줄거리는 홍콩 경찰의 최고 지휘자 곽부성이 전임자 양가휘와의 갈등속에서 외부 부정 세력과 결탁한 경찰 내부자를 찾아내어

코드네임 콜드워(좌)와 쿵푸허슬(우)

정의로운 사회를 지키기 위해 분투하는 일종의 폴리스 스토리이다. 주윤발은 자신의 취미인 사진 촬영을 통해 결정적 단서를 제공하는 변호사로 나온다. 실제로도 주윤발의 취미는 사진 찍기이다.

영화는 볼 만했다. 역대 1위에 올랐다는 사실을 입증하기에는 다소 부족함이 느껴지지만, 한때 아시아를 주름잡던 왕년의 홍콩 스타들과 함께 하는 시간이 아쉽지는 않은 것 같다.

10위권의 다른 작품들을 살펴보면 주성치의 영화가 '쿵푸허슬', '소림축구', '미인어', '장강7호' 등 총 4편이나 된다. 필자는 예전에 '홍콩인들이 사랑하는 홍콩의 스타는?'을 제목으로 칼럼을 쓴 바 있다. 이때 장국영과 함께 공동 2위로 주성치를 올려 놓았는데, 이 순위만 보더라도 주성치의 인기를 느낄 수 있다.

인기 시리즈물인 '엽문'은 이소룡의 실재 스승인 엽문의 이야기를 다룬 것으로 이중 제 3편이 4위에 올라있다. 총 4 편의 에피소드 중 제 3편만이 순위에 든 것은 복싱계 전설의 핵주먹 마이크 타이슨이 엽문의 상대역으로 출연한 화제성 덕분인 듯하다 (이 장면만 건지고 싶다면 유튜브를 찾아보시라!).

5, 6위에 나란히 올라 있는 '폴리스 스토리 4'와 '홍번구'는 성룡이 한참 날아다닐 때 찍은 영화이고, 9위의 '도신 2'는 주윤발이 주인공이다. '무간도'(8위)는 설명이 필요없다.

그런데, 어? 우리에게 익숙한 그 영화가 없다. 그렇다, 바로 '영웅본색'이다. 역대 최고 흥행 홍콩 영화 30위 안에도 없다. 3천 4백만 달러의 흥행 기록을 남긴 '영웅본색'은 1986년 개봉한 영화 중 최고 흥행작, 즉 '올해의 영화'에 만족해야 했다. 그러고 보면 한국 사람들이 '영웅본색'에게 보내는 애정은 각별한 것 같다.

이번 주말에는 짜장면을 먹으며 위의 영화 중 한 편을 골라 보는 것은 어떨까. 홍콩에서 정작 홍콩반점의 짜장면을 시켜 먹을 수 없는 우리 교민들은 현지 슈퍼에 들어와 있는 짜장 라면으로 아쉬움을 달래 보자.

한국은 김이박, 영·미는 스미스, 홍콩은 OOOOOO

대한민국 통계청에 기록되어 있는 우리나라의 성씨 분포는 총 498개이다. 이중 2015년 기준 한국의 최대 성씨는 김(金) 씨로 전체 인구 4970만 명 중 1068만 명이다. 무려 21.4%을 차지하고 있으니 한국 사람 다섯 명 중 한 명은 김 씨인 셈이다.

그 뒤를 이어 이(李) 씨가 14.7%, 박(朴) 씨가 8.4%이다. 소위 말하는 한국의 주요 성씨 김, 이, 박이 44.5%에 달해 전체 인구의 반 가까이를 차지하고 있다. 이렇게 보면 한국에서 주요 성씨의 편중 현상이 심한 것 같다.

우리가 거주하고 있는 홍콩의 성씨는 어떨까? 한국같이 주요 3대 성씨가 존재할까? 당신의 주변에는 어떤 성씨의 사람들이 많은가?

중화권 문화에서 매우 중요한 성(姓)씨

성씨를 나타내는 '姓(성)'의 한자를 보면 부수가 여자 '女'이다. 이로 보아 성씨의 유래는 원래 어머니쪽, 즉 모계 사회에서 기원을 찾아야 할 듯하다. 우리의 역사는 원시 시대 모계 씨족 사회에서 부계 씨족 사회를 거쳐 노예 시대, 봉건 시대, 그리고 현대에 이르고 있다.

중국 사람들은 줄곧 성씨를 매우 중시했다. 중국어 표현 중에 '성씨가 어떻게 되세요(您貴姓?)'라는 표현이 있다. 처음 만났을 때 하는 인사이다. 한국어에서는 주로 이름을 묻지 성씨를 콕 집어 질문하는 것은 흔하지 않다.

중화권에서 성씨가 중요한 이유는 장기간에 걸친 봉건 사회에서 성씨가 종종 한 사람의 혈통과 사회적 지위를 대표하는 것이었기 때문이다. 임금, 공신, 귀족들은 권력으로써 자신들의 성씨에 위세를 더하였고 이는 명문 대가를 형성하는 결과를 낳았다. 설사 빈곤하고 몰락한 신세라도 권위있는 성씨로 자처하거나 그런 방법을 통해 재기하기도 했다. 대표적인 인물이 삼국지의 유비이다. 유비는 돗자리를 짜고 신발을 팔아 생활할 정도로 빈곤했다. 하지만 황건적의 난 때 자신이 한나라 황제의 유(劉)씨의 후손으로 당시 황제인 헌제의 숙부임을 내세워 군사를 일으킨 후 영향력을 확대시켰다.

현대 사회에서도 중화권 사람들은 여전히 성씨를 중시한다. 속담에 '同姓一家親'이란 말이 있다. 같은 성씨는 일가와 같이 가깝다는 뜻이다.

홍콩에서 가장 많은 성씨 - 진(陳):10.11%

홍콩 현지 매체인 '데일리 헤드라인(每日頭條)'에는 홍콩의 100대 성이 등재되어 있는 바, 이를 토대로 소개해 보겠다. 홍콩에서 가장 많은 성씨는 진(陳)씨이다. 광동어로 '찬', 푸통화로는 '쳔'으로 발음한다. 우리 학원의 광동어 교재에도 '챤씬상(陳先生)'이 제일 많이 등장한다. 전체 인구의 10.11%이니까 홍콩 사람 10명 중 한 명은 진씨라고 볼 수 있다. 참고로 대만에서 가장 흔한 성씨도 진씨인데, 총 인구 대비 11.15%를 차지하여 홍콩과 비슷한 비율을 보이고 있다. 남중국에 진씨가 많이 분포하는 것 같다.

홍콩의 유명인 중 진씨는 누가 있을까? 홍콩 사람이라면 다 아는 가수 겸 배우인 켈리 챤이 우선 떠오른다. 추석이 가까울 무렵이면 어김없이 맥심 월병을 들고 있는 그녀의 모습이 곳곳에서 눈에 띈다. 남자 가수 이슨 챤(Eason Chan)도 유명하다.

그 뒤로 황(黃), 이(李), 양(梁), 장(張), 임(林) 씨까지가 홍콩의 6 대 성씨이다. 이 주요 성씨가 홍콩 인구에서 차지하는 비율이 36.75%로 나타났다. 홍콩의 유명인 중 황 씨로는 악역으로 많이 나오는 영화 배우 황추생(Anthony Wong), 이 씨는 홍콩 최고 갑부 리카싱과 배우 이소룡, 양 씨는 영화 배우 양조위와 전 행정장관 렁춘잉(CY Leung)을 들 수 있다. 그리고 장 씨로는 배우 장국영과 4대 천황 중 장학우, 임 씨는 전 행정장관 캐리 람이 대표적이다.

이 외에도 왕(王), 오(吳), 유(劉), 채(蔡)까지 더하면 홍콩의 10대 성씨가 된다. 이제 중국 대륙으로 눈을 돌려 보자.

중국의 3대 성씨: 이(李), 왕(王), 장(張)

비교적 최근에 출판된 '중국성씨기편(中國姓氏記編)'에 수록된 성씨는 무려 5730개나 된다. 이중 중국에는 3대 성씨가 분포하는 바, 바로 이(李), 왕(王), 장(張)이다. 이 세 성씨는 인구가 거의 비슷하여 통계에 따라 순위와 비율이 다소 다르게 나타난다. 하긴 그 많은 인구를 우리가 일일이 다 세어 볼 수도 없고, 그저 참고로 삼 아야 할 듯하다.

2015년 발표된 '100가 성씨 제6차 중국 인구 조사 순위 101위'에 따르면 중국의 최대 성씨는 이(李)씨이다. 전체 인구의 7.94%를 차지하고 있고 중국의 북부에 많이 분포한다. 그 뒤를 이어 왕 씨(7.41%)와 장 씨(7.07%)가 2,3위를 차지하고 있다. 홍콩에서 가장 많은 진씨는 중국 전체에서는 5번째 많은 성씨이다.

내친 김에 세계 주요 국가들의 제 1 성씨도 알아보자. 이웃 나라 일본에서 가장 많은 성은 사토, 영국과 미국은 모두 스미스이다.

이 외에 스페인은 가르시아, 독일은 뮐러, 이태리는 로시로 나타났다.

처음 만나는 홍콩 사람이 있다면 다음의 광동어 표현을 하나익혀 물어보자. "네이 꽈이 쌩(你貴姓?: 성씨가 어떻게 되세요?)". 혹시 알랴, 우리와 같은 성씨를 만나게 될지.

납량 특집 1탄
홍콩판 '전설의 고향'

여름의 한복판에서 홍콩 도시 전체가 이글이글 타오르고 있다. 이 무더위를 잊게 해 줄 만한 것이 뭐가 있을까? 여러가지 중에서 '납량 특집'이 생각난다. 그리고 '납량 특집'하면 빼 놓을 수 없는 것이 있으니 그것은 바로 '전설의 고향' 아니겠는가?

그럼 홍콩에는 어떤 전설들이 있을까? 오늘 이야기는 홍콩판 전설의 고향이다. 이곳의 유명한 이야기들을 모아 소개해 보겠다.

1. 돌이 된 아내 - 샤틴의 망부석

샤틴의 사자산 야외 공원의 홍무이(紅梅) 계곡 위에는 엄마가 아이를 업고 있는 형상을 한, 높이 15미터 정도의 바위가 들어서 있다. 해발 약 250미터 정도의 높이에 위치해 있는데, 이 인근을 지나가게 되면 평지에서도 시야에 들어온다. 이것은 바로 2007년 네티즌들이 뽑은 '홍콩에서 가장 아름다운 암석' 1위 망부석이다.

옛날 가난한 농촌의 가정에서 한 여자가 딸을 출산한다. 불행히도 얼마 후 그녀는 병이 들어 숨을 거두게 된다. 마침 이웃에 아들을 낳은 지 얼마 안된 산모가 있었다. 그녀는 엄마를 잃은 여자 아이를 불쌍히 여겨 자신의 아들과 함께 젖을 먹여 키운다.

같은 모유를 먹고 자란 두 아이는 서로 잘 어울리며 성장해 갔다. 이들이 6, 7살이 되던 해, 여자 아이의 부친마저 세상을 떠나게 된다. 이웃집 부부는 그 아이를 장래의 며느리, 즉 민며느리고 삼기 위해 데려와 기른다.

두 아이는 이후 부부의 연을 맺어 아들 둘을 낳고 행복하게 살

샤틴의 망부석 (출처: Yahoo新聞)

162

아간다. 그러나 어느 해, 흉년으로 인해 남편은 가족을 놔두고 생계를 위해 바다로 나간다. 하지만 집을 떠난 남편은 돌아오지 않았다.

아내는 이때부터 큰 애는 등에 업고 작은 애는 손에 안은 채 비가 오나 눈이 오나(참, 홍콩은 눈이 안 온다) 산에 올라 남편이 오기만을 기다린다. 기다림에 지쳐가던 어느 날, 비바람이 몰아치며 천둥 번개가 번쩍이더니 이들 모자는 사라져 버린다. 그리고 그 자리에 지금의 망부석이 남아있게 된다. 사람들은 하늘이 감동하여 모자를 바위로 만들어 영원히 이곳을 지키도록 한 것이라며 말했고 이는 전설이 되어 후세에 전해진다.

2. 홍콩의 침몰을 예언한 돌거북이 전설

이 전설도 홍콩 사람들 사이에 꽤나 유명하다. 800년 전, 송나라의 풍수대사 뢰포의(賴布衣)가 홍콩을 지나게 된다. 그런데 그는 홍콩의 지형을 보고는 이런 말을 남긴다. "태평산(太平山, 지금의 빅토리아 피크)에 돌거북이가 한 마리 있는데 매년 1미터씩 산을 내려가고 있다. 그 돌거북이가 해면까지 내려와 바다에 입수하는 해에 홍콩은 침몰할 것이다!"

돌거북이 이야기는 1941년 여우리엔 출판사(友聯出版社)에서 출판한 <홍콩백년>에 실린 바 있고 이 전설은 당시 큰 화제가 되었다. 그러다 몇 십년 후 다시 돌거북이가 사람들의 입에 자주 거

163

론된다. 1997년, 바다를 메운 땅 위에 완차이의 컨벤션 센터가 문을 열었을 때이다. 이 컨벤션 센터가 모양이 거북이의 형태를 띠고 있으며 재질은 돌로 만들어졌기에 이것이 바로 예언의 돌 거북이라는 것이다. 1997년은 홍콩이 중국에 반환된 해이다. 그리고 아시아 경제 위기가 닥쳤고 몇 년 후 홍콩은 사스 사태를 맞기도 하였다. 이 전설은 돌거북이가 매년 조금씩 산을 올라가고 있으며 정상에 다다르면 홍콩이 침몰한다는 다른 버전의 이야기도 갖고 있다.

거북이 모양의 홍콩 컨벤션 센터 (출처: 大紀元時報)

3. 홍콩판 구미호 - 호표별장의 여우 전설

뭐니뭐니 해도 '전설의 고향' 간판 스타는 구미호 아니겠는가? 그런데 홍콩의 전설 중에도 여우와 관련된 이야기가 있어 소개하려 한다. 호표별장(虎豹別墅)의 여우 사건은 당시 홍콩 사회를 들썩이게 만들었다.

코스웨이베이 부근 타이항에는 홍콩의 1급 보호 건축물로 남아 있는 호표별장이 위치해 있다. 이곳에는 예전에 많은 그림들이 있었는데, 1981년의 어느 날, 한 직원이 벽화를 닦다가 7개의 여우 머리 형상을 발견하게 된다. 그는 이상히 여겨 상사에게 보고하였고 이들이 다시 왔을 때에는 그 형상이 사라지고 없었다.

이 일이 발생한 지 며칠 후, 인근의 윈저공작(溫莎公爵) 쇼핑몰의 석조 장식물에 일곱 마리 여우의 머리 그림자가 나타난다. 비교적 선명하게 나타난 여우 그림자의 소문은 삽시간에 퍼져 구경하러 오는 사람들로 인산인해를 이룬다 (나의 지인 중에도 당시 이 석조물을 보러 간 사람이 둘이나 되었다). 기자들까지 몰리고 언론에서 계속 관련 뉴스를 보도하자, 결국 이 쇼핑몰은 정상적인 영업을 할 수 없는 상태에 이르러 하루 동안 문을 닫는 해프닝 까지 벌어진다. 그리고 쇼핑몰은 문제의 석조물을 다른 것으로 교체했는데, 이후 장사가 매우 잘 되었다고 한다. 이 건물은 현재 코스웨이 베이의 이케아 맞은 편에 위치한 쇼핑몰 윈저 하우스 (Windsor House)의 전신이다.

이 홍콩판 구미호는 몇몇 공포스러운 이야기를 추가로 양산하며 더욱 유명해졌다. 하나 노약자와 임산부를 위해 이쯤에서 접겠다 (궁금한 분들은 인터넷을 찾아보시길).

그나저나 돌거북이는 정말 완차이 컨벤션 센터인 것일까? 아니면 지금도 빅토리아 피크 어디선가 내려오고 있는 중일까?

납량 특징 2탄
홍콩 재벌들의 납치극 잔혹사

오늘은 납량 특집 2탄으로 홍콩 사회를 들썩이게 했던 재벌 납치 사건들을 다뤄 보겠다. 여기서 소개하는 이야기들은 우리에게 익숙한 홍콩 범죄 영화의 한 장면이 아닌, 모두가 실화임을 밝혀 둔다.

현재까지 실종 상태인 차이나켐 창업주 테디 왕

테디 왕은 1934년 상하이에서 태어나 1948년 홍콩으로 이주해 온 기업인으로 차이나켐 그룹(Chinachem Group)의 창업주이다. 그는 생전에 두 차례나 납치를 당했다. 1983년 4월, 괴한들에게 끌려가 몸값으로 미화 1억 1천만을 건넨 것이 첫번째 납치되었을 때이다. 그후 범인들은 경찰에 덜미가 잡히며 테디 왕은 무사히 돌아올 수 있었다.

7년 후, 이 사건을 들춰 보던 퇴직 고위급 경찰 출신 쫑웨이정은 비록 실패로 끝났으나 당시 납치 수법이 매우 뛰어났음에 감탄한다. 그는 미흡했던 점을 보완하여 같은 방법으로 납치한다면 틀림없이 성공한다는 확신을 가진다. 결국 쫑웨이정과 일행은 1990년 4월, 해피 밸리 자키 클럽에서 나와 집으로 향하던 테디 왕을 인질로 잡는데 성공한다.

그들은 경찰의 녹음, 도청에 눈 하나 깜빡하지 않고 심지어 홍콩의 주요 일간지에 광고를 내어 테디 왕의 아내 니나 왕과 연락을 취하겠다는 메세지를 전달한다. 이 납치단은 미화 10억의 몸값을 요구했고 니나 왕은 1차로 미화 6,000만 달러, 2차로 2,800만 달러를 건넨다.

경찰은 1991년과 1993년에 걸쳐 범죄에 가담한 6명을 체포하였다. 그러나, 두목 쫑웨이정은 지금까지도 도주중이고 납치된 테디 왕은 원양어선에 태워져 공해상으로 나갔다는 것만 알려진 후 행방은 묘연한 상태이다.

몸값으로 1,600억을 뜯어내 기네스북에 등재

홍콩 최고의 재벌 리카싱의 장남 빅터 리는 32세 때 평생 잊을 수 없는 끔찍한 경험을 하게 된다. 1996년 5월 23일 저녁, 귀가하는 그를 태운 차량 앞에 AK47로 무장한 괴한들이 출현한다. 빅터

테디 왕(출처:SCMP)   리카싱과 장남 빅터 리 (출처:新浪財经)

터 리는 바로 괴한들의 차에 태워지고 납치에 성공한 두목은 그의 이마에 입을 맞추었다고 한다. 이 범죄를 기획한 자는 중국 광서성 출신 장즈치앙(張子强)이다. 4살 때 부모를 따라 홍콩으로 이주했고 평소 부자들의 생활을 동경해왔던 그였다.

빅터 리는 내의만 입은 채로 벌거벗겨진 후 감금된다. 장즈치앙은 허리에 폭탄을 두르고 대담하게도 홀로 리카싱을 찾아가 담판을 벌인다. 리카싱은 경찰에 신고하지 않고(실은 신고했다는 이야기도 있다) 장즈치앙의 요구에 응해 몸값으로 10억3천8백만 홍콩 달러(한화 약 1,600억)를 건넨다. 이것은 당시 '세계 최고 몸값의 인질극'으로 기네스 북에 등재되었다.

빅터 리는 곧 무사히 풀려난다. 당시 리카싱은 인질범과의 담판 중 시종 침착했다고 전해진다. 그리고, 장즈치앙에게는 그 돈으로 멀리 떠나 새 사람이 되라는 충고도 건넸다고 한다.

장즈치앙의 다음 목표는 최대 부동산 재벌 월터 궉

장즈치앙은 여기서 만족하지 않았다. 2011년 기준, 중화권의 최대 부호는 미화 260억(한화 약 31조)을 보유한 리카싱이었고, 2위가 홍콩 최대의 부동산 기업 선홍카이(新鴻基地産)를 이끄는 궉씨 삼형제였다. 이들의 당시 소유 자산은 미화 약 200억 달러에 달했다. 이중 월터 궉은 장남이다. 장즈치앙은 홍콩 10대 재벌을 모두 납치할 계획을 갖고 있었던 바, 재벌 2위였던 월터 궉이 다음 목표였다.

희대의 납치범 장즈치앙(출처: Yahoo體育)과 월터 궉(출처: Tatler Asia)

1997년 9월, 사무실로 향하던 월터 궉과 그 일행은 괴한들에 납치당하여 신계 판링쪽으로 끌려간다. 납치범들이 가족에 연락하라 협박을 했지만 월터 궉은 거절한다. 그러자 그는 매일 구타를 당했는데 결국 납치 4일 후, 6억 달러를 건네고 풀려난다. 월터 궉은 후유증으로 공포, 우울증에 시달려 1년간 정신 치료를 받았다. 하지만 이후에도 심신이 쇠약해진 데다가 주변인에 대한 과도한 의심 등으로 2008년 그룹 총수직에서 물러난다.

이 희대의 범죄자 장즈치앙은 어떻게 되었을까? 1998년 광저우에서 체포되어 현지 인민 법원에서 사형을 선고받는다. 그리고 같은 해 총살로 삶을 마감한다.

홍콩 재벌들의 납치극 잔혹사는 지금까지도 이어지고 있다. 의류 브랜드 보시니(Bossini)의 창시자 루오딩방(羅定邦)은 2015년에 딸이 납치되어 곤혹을 치렀다. 2,800만 달러를 건네준 후에야 딸은 풀려날 수 있었고 일당은 중국 본토에서 체포되었다. 또한 같은 해에 펄 오리엔탈 홀딩사의 회장인 황위쿤이 대만에서 산책 중 납치된다. 특이한 점은 인질범들이 그의 몸값 7,000만 홍콩 달러를 비트코인으로 요구했다는 것이다. 그러나 이들은 대만 경찰들에 의해 일망타진되었으며 황 회장은 살아서 귀환할 수 있었다.

연예인 중에는 양조위의 아내이자 유명 배우인 유가령이 1990년에 납치되었다 풀려난 적이 있다. 또 한국의 유명인 부부인 신상옥 감독과 배우 최은희가 1978년 홍콩에서 북한 공작원에 의해 차례로 납북되기도 했었다.

유전무죄라는 말이 이곳 납치범들 사이에는 유전유죄로 통하는 것 같다. 한국 회장님들이 구치소를 들락날락하며 수난을 당했다면 홍콩 재벌들은 폐차장 등에 끌려다니며 수모를 겪어야 했다. 돈이 너무 많아도 화를 입는다.

지금은 귀신의 달,
빨리 귀가하세요~

음력 7월은 귀신의 문이 열리는 달

9월에 접어든 현재, 가을 명절인 추석이 얼마 남지 않았다. 하지만 음력으로는 아직 7월이다. 중화권에서 음력 7월은 뭔가 특별한 달로 불리운다. 7월 1일 귀신의 문이 열려 30일에 그 문이 닫히는데, 그동안 망령들은 신나게 돌아다니면서 이승을 떠돈다. 그래서 중국 대륙, 홍콩, 대만 등에서는 음력 7월을 '귀신의 달(鬼月)'이라고 부른다. 이 기간에 식당이나 상점은 정상 영업을 하지만 사람들은 늦게까지 다니지 않고 귀가를 서두른다.

이맘때면 곳곳에서 사람들이 밤거리에 나와 음식을 벌여 놓고 뭔가를 열심히 불에 태우는 것을 본 적이 있는가? 이것은 '소의(燒衣)'라고 하여 떠도는 영혼들을 위해 제사를 지내는 것이다. 사람들은 음력 7월중 어느 하루, 집 앞에 나와 밥과 음식과 과일등을 준비하고 죽은 자들의 노잣돈을 마련해주기 위해 지전(紙錢)을 태운다.

이중 음력 7월 15일은 '귀절(鬼節)', 즉 귀신의 날이라고 부른다. 송나라 때부터 유행을 했다고 하니 오랜 전통을 가진 명절이다. 홍콩 사람들 중에 귀절을 7월 14일로 알고 이날 밤 제사를 지내는 이들도 많다. 귀절이 7월 15일 자시(子時), 즉 7월 14일 밤 11시와 7월 15일 새벽 1시에 시작되기 때문이다. 또한 7월 14일에 귀신의 기가 가장 세다는 얘기도 있다.

출처: 自由時報

귀절은 '중원절(中元節)', 혹은 '우난분절(盂蘭盆節)'이라고도 부른다. 중원절은 도교식 표현이고 우난분절은 불교에서 나온 말이다. 윗어른을 섬기는 유교의 효 사상에 더해 이 명절에는 세 종교의 색채가 혼합되어 있는 것을 알 수 있다.

172

코스웨이베이의 빅토리아 공원에서는 매년 이때 우난분절이라는 이름으로 큰 행사가 열린다. 주로 중국 대륙에서 넘어온 이주자들, 특히 홍콩에 약 120만이 거주하는 것으로 알려진 광동성 차오저우(潮洲) 지역 출신들이 주축이 되어 행사를 주최한다. 이날이 되면 요란한 음악과 다양한 먹거리, 화려한 장식 등으로 여행객을 유혹한다.

출처: Wikipedia

중화권에는 귀신의 날이 모두 세 번 있다. 모두가 돌아가신 조상에게 제사를 지내는 날이라고 할 수 있다. 첫번째가 양력 4월 4일 혹은 4월 5일 청명절로서 홍콩은 이날이 공휴일이다. 두번째는 바로 음력 7월 15일 중원절, 마지막이 음력 10월 1일인 한의절(寒衣節)이다. 한의절은 조상들이 겨울 옷을 챙겨 입으러 방문하는 날이다. 하지만 홍콩에서 한의절 풍습은 볼 수 없다.

금기 사항

　귀신의 달에는 피해야 하는 금기 사항들이 매우 많다. 일설에 의하면 이 기간 동안 해서는 안되는 불길한 행동이 30개나 된다. 이중 야후 홍콩에 소개된 대표적 금기 사항 일곱 가지를 소개한다.

1. 다른 사람의 어깨를 두드리지 말라

　우리의 몸에는 3개의 불이 있어 양기를 보호한다고 한다. 그 불은 머리 위와 왼쪽 및 오른쪽 어깨 위에서 타고 있다. 그런데 어깨를 두드린다는 것은 그 불을 꺼뜨린다는 의미가 되어 음기를 지닌 귀신이 접근할 수 있다.

2. 밤에 빨간 옷을 입고 외출하지 말라

　빨간 색은 피를 상징한다. 밤에 빨간색 옷을 입고 외출을 하는 것을 피해야 하는데, 특히 여성의 경우 너무 빨간 립스틱을 바르는 것을 삼가한다. 그렇지 않으면 귀신의 목표물이 될 수 있다.

3. 최대한 물놀이를 피하라

　음력 7월에는 바닷가나 하천에서 물놀이를 삼가해야 한다. 물귀신은 물에서 빠져나오기 위해 인수 인계를 할 후임자를 물색하기 때문이다. 이때가 여름이라 사람들은 물가를 찾게 된다. 위험

174

지역에서는 물놀이를 피해야 하며 특히 밤에는 더더욱 이를 금한다.

4. 밤에 휘파람을 불지 말라

휘파람의 주파수는 저승 세계의 소리와 일치한다고 한다. 밤에 휘파람을 불면 이는 귀신을 부르는 신호로 여겨진다.

5. 산발머리를 하지 말라

산발머리를 하고 돌아다니면 귀신이 자신의 친구인 줄 알고 반가워한다. 이들과 친구 삼고 싶지 않으면 최대한 머리를 묶고 다닐 것.

6. 막차를 타지 말라

새벽 12시는 돌아다니는 사람도 적을뿐더러 음기가 가장 강한 시간이다. 막차는 사실 이승 사람들을 태우기 위해 운행되는 것이 아니고 저승에서 온 사람들을 태우러 다닌다고 한다. 부득이 막차를 타야 한다면 첫 칸과 마지막 칸은 피하라.

7. 민소매 옷을 입지 말라

이 기간에는 색마 귀신도 많이 돌아다닌다. 이들은 섹시한 여성을 목표로 정해 다가온 후, 어깨를 두드려 정기를 흡수하려 한다.

하지만 안전한 외모를 가지고 있다고 생각하는 분들은 두려워할 필요가 없다.

위의 사항들은 미신이지만 현지인들은 가급적 조심하려는 것들이다. 며칠 전 집에 가다가 밤 10시쯤 사람들이 밖에 나와 지전을 태우는 것을 보고 사진을 찍었다. 다음날 그 사진을 홍콩 학생들에게 보냈더니 이것 역시 금기되는 행위라면서 나보고 용감하단다. 사진에 영혼이 나올 수 있다나..

귀신의 달 음력 7월. 이달은 1년 중 음기가 가장 왕성한 달이다. 그래서인지 원래 컸던 내 아내의 목소리가 더 커지면서 엄청 센 기가 느껴지는 기분이다. 이달이 빨리 지나가기를..

중화권의 센 언니들,
중화권의 공처가들

**"아내를 무서워하는 남편은 없다, 존중하는 남편이 있을 뿐" -
엽문**

"세상에 아내를 무서워하는 남편은 없습니다. 아내를 존중하는
남편이 있을 뿐입니다." 이 무슨 약해빠진 공처가의 자기 합리화
일까? 홍콩 영화 '엽문'에 나오는 대사이다. 어떤 무술의 고수가
대결을 위해 엽문을 찾아와 그의 약점으로 '공처가' 운운하며 신경
을 건드린다. 이에 엽문은 위와 같은 명대사(?)를 남겼다. 나는 당
시 이 명언을 들으며 무릎을 쳤다. 그리고 지금까지 나의 가슴 깊
이 새겨져 있다. 그래, 나도 아내를 무서워 하는 것이 아니라 존
중하는 거였다고!

중화권 언니들은 세다. 당대를 주름잡는 최고의 무술 고수도 아

내 앞에서는 힘 못 쓰는 공처가일 뿐이다. 중화권 남자들은 상대적으로 여자들에게 순종적인 편이다. 좋게 말하면 엄청 잘하는 것이고 반대로 얘기하면 기가 다소 꺾여 있다. 우리가 거주하는 홍콩에도 남성들로부터는 초식남 이미지가 느껴진다.

모택동 "세상의 반은 여자가 받든다" - 여성의 사회 노동 권장

모택동은 1949년 중화인민공화국을 건국한 후 공산주의에 기반한 새로운 정책들을 펼친다. 인민들의 노동력을 중시한 그는 여성들의 사회 참여를 적극 권장했다. '세상의 반은 여자가 받든다'는 주장을 통해 부녀자들을 부엌 밖으로 나오게 하여 남자들과 함께 노동 전선에 세워 놓았다. 1950년 5월에는 새 혼인법도 발표되었는데, 부권으로부터의 여성 해방을 근간으로 하고 있다. 일부 다처제나 매매혼 같은 봉건적 혼인 제도를 폐지하고 혼인의 자유, 일부일처, 남녀평등의 내용이 담겨 있다. 1959년 기준, 전국의 여성의 95%가 국가에서 부여한 노동에 종사하였다.

하지만 사회에서 여성들의 목소리가 커짐에 따라 곳곳에서는 움추러드는 남자들이 양산되었다. 중국어로 공처가를 '치관옌(妻管嚴)'이라고 부른다. 말 그대로 아내가 관리를 엄격하게 한다는 뜻이다. 이 말은 기관지염을 뜻하는 '치관옌(氣管炎)'과 성조만 다를 뿐 발음은 같아서 '공처가'를 '기관지염 환자'로 빗대 부르기도 한다.

중국에서는 이런 공처가들이 많은 사회 풍조를 풍자하는 우스갯 소리도 많다. 한번은 공처가 확대에 국가적 위기를 느낀 정부에서 공무원을 파견하였다. 사회에 얼마나 많은 치관옌들이 존재하는지 조사하기 위함이었다. 한 회사에 파견된 공무원이 "아내가 무서운 사람들은 앞에 나오고, 무섭지 않은 사람은 뒤에 서시오"라고 지시했다. 그러자 모두가 우루루 앞에 나가 섰는데 한 명만 유일하게 뒤에 나가 섰다. 공무원은 크게 감격하여 "그래도 우리 나라에 아직 희망이 있군요! 당신은 정말 아내가 두렵지 않소?"라고 물었다. 그러자 뒤에 선 사람의 말 - "제 아내가 사람 많은 곳에 가지 말라고 했어요!"

자기 주장 강하고 자존심 높은 꽁노이(港女)

　홍콩에 오래 살아보니 이곳의 상황도 크게 다르지 않은 듯 하다. 현지어에 '꽁노이(港女)'라는 말이 있다. 말 그대로 '홍콩 여자'라는 뜻이다. 그런데 이 말은 종종 자기 주장이 강하고 도도하며 자존심 높은 홍콩 여자라는 의미로 해석되곤 한다. 우리 학원 뒤에는 '샤오라쟈오(小辣椒)'라는 이름의 중국 식당이 있다. 샤오라쟈오는 원래 '작은 고추'를 뜻하지만 얼굴은 예쁘장한데 톡톡 쏘는, 한 성깔하는 여자를 지칭하는 중국어이기도 하다.

　홍콩의 경우 경제가 크게 부흥하던 60~70년대에 많은 여성들이 이미 사회에 진출하여 활동하였다. 여성들의 경제적 독립이 가능해지면서 이에 상응하는 사회적 위상을 갖게 되었다. 나는 한국어를 배우는 홍콩 여성들과 한국 영화 '82년생 김지영'을 단체 관람한 적이 있다. 관람 후 소감을 물으니 홍콩에서는 영화와 같은 남녀 불평등 문제가 없어 별 감흥을 느끼지 못하였고 공감이 안된다고들 하였다.

여성에 헌신적인 홍콩의 남성들

그런데 내가 관찰한 또다른 측면은 홍콩 남성들이 여성들에게 꽤나 헌신적이라는 것이다. 한 예로 한국어 수업이 끝나면 9시를 훌쩍 넘겨 꽤 늦은 시간이다. 이때 남편되는 분들이 기사가 되어 밖에서 늘 대기중이다. 또한 이제까지 만났던 홍콩 사람들을 통계적으로 봐도 집에서 요리를 하는 남성의 비율이 여성보다 많았다.

홍콩에서 715km 떨어진 곳에 또 하나의 중화권인 대만이 위치해 있다. 나는 94~95년 대만에서 거주한 경험이 있다. 그곳도 남성이 가사일에 많은 부분을 담당하고 있었다. 나의 부모님 또한 80년대 초, 대만에서 1년을 거주한 적이 있다. 당시 어머니는 빨래를 널기 위해 베란다에 나갈 때면 역시 빨래를 널고 있는 맞은편 아저씨와 종종 눈이 마주쳐 민망했었다고 했다. 홍콩의 전 행정 장은 캐리 람, 대만의 대통령은 차이잉원으로 둘 다 여성이다.

내가 수업하는 한국어반은 90% 이상이 여자이다. 이들을 남성

혼자 상대하는 필자로서는 수업 한 번 하고 나면 기가 확 빨리는 느낌이다. 꽃밭에서 일한다고 부러워하는 남성들에게는 배부른 소리로 들릴지 모르겠지만..

제3장

홍콩 생활 즐기기

한국인이 좋아하는 중국 요리는?

오늘은 한국 사람들의 입맛에 맞는 중국 요리를 소개해 보려고 한다. 가족이나 지인들과 함께, 혹은 한국 손님을 접대할 때 만족도를 높이는 중국 음식들이다. 그동안의 경험을 바탕으로 한 검증된 요리들을 정리해 보았다. (요리 이름은 푸통화 발음임)

1. 육류

우선 애피타이저로 먹을 수 있는 '추이피 샤오러우(脆皮燒肉)'를 소개한다. '추이피(脆皮)'는 껍질이 바삭하다는 뜻인데 이 음식은 약 200~250도의 뜨거운 불로 가열하여 바짝 익힌 돼지고기이다. 나는 개인적으로 홍콩에서는 육질이 물컹거리는 소고기보다 돼지고기를 선호하는 편이다. 아이가 있는 사람들이 많이 찾는 '꾸

루러우(咕噜肉)'는 우리 입맛에도 익숙한 탕수육인데 남녀노소가 좋아할뿐만 아니라 가격도 싸다. 홍콩 사람들이 즐겨먹는 돼지고기 요리 '챠샤오러우(叉燒肉)'도 시도해 볼 만하다. 간장과 꿀 등이 들어간 양념 소스에 재워 오븐에서 구워낸 것으로 달고 짭짤한 맛을 동시에 느낄 수 있는 중국식 단짠요리이다.

닭고기 요리로는 '꿍바오지딩(宮保鷄丁)'과 '샤오지(燒鷄)'를 추천한다. '꿍바오지딩'은 유명한 사천요리 중 하나로 닭고기와 땅콩 등의 견과류와 고추를 같이 볶은 매콤한 요리이다. '샤오지'는 중국식 프라이드 치킨에 해당된다. 맛도 무난하고 양(量) 담당의 임무도 수행한다. 오리 고기로는 역시 유명한 베이징 덕, 즉 '카오야(烤鴨)'가 한국 사람들 입에도 잘 맞는다.

추이피샤오러우 (출처:搜狐)   샤오지 (출처:下厨房)

2. 해산물

'쑤완롱 위엔뻬이(蒜蓉元貝)'는 당면과 다진 마늘이 가리비 조

184

개 위에 올려진 음식이다. 마늘에 익숙한 한국인들에게 인기가 높다. 생선찜인 '청정위(清蒸魚)'는 지난 칼럼에서도 소개된 비주얼 담당의 역할을 하는 요리이다. 생선도 종류가 많은데 찜으로는 어떤 것이 좋을까? 가장 보편적으로 조리되는 물고기는 돌 모양의 무늬가 있다고 해서 이름 붙여진 '석반어(石斑魚:스빤위)'를 추천한다. 영어로 '가루파(Garupa)'로 불린다. 생선찜에 끼얹어 나오는 간장 소스를 밥에 비벼 먹는 것은 또 하나의 별미이다.

쑤완롱위엔뻬이 (출처:下厨房)　　　　청정위 (출처:下厨房)

　게요리로는 '배틀트립' 등 한국의 예능 프로에서 종종 소개되는 매운 게 튀김 요리 '비펑탕 챠오라시에(避風塘炒辣蟹)'를 꼽을 수 있다. 광동식 발음인 '베이펑통 차우하'로도 많이 알려졌다. 간단하게 '챠오라시에', 영어로 '스파이시 크랩(spicy crab)'으로 부르기도 한다. 나는 한국 손님에게 현지의 특별한 음식을 소개하고 싶을 때 코스웨이베이의 '언더 브릿지(Under Bridge)' 식당을 예약하여 이 요리를 주문한다. 한 마리당 HK$600이 넘는 가격이 부담스럽지만 세트 메뉴를 주문하면 비용을 어느정도 낮출 수 있 다.

홍콩에서 다양하게 맛볼 수 있는 새우 요리의 경우 '새우불패' 라는 용어를 붙이고 싶다. 새우를 주재료로 한 요리는 웬만하면 실패하지 않기 때문에 다양하게 즐겨도 좋을 것이다.

3. 야채 요리

푸른 채소류로는 '콩신차이(空心菜)'가 한국 사람들의 큰 사랑을 받고 있다. 광동어로 '통초이(通菜)', 영어 이름은 '모닝 글로리 (morning glory)'로 알려져 있다. 그 외에 광동어 발음 '초이쌈'으로 익숙한 홍콩의 대중적인 야채 요리 '차이신(菜心)'과 청경채인 '시아오바이차이(小白菜)'도 좋다.

푸른 채소 외에 야채 요리로는 가지를 원료로 한 '위샹치에즈 (魚香茄子)', '치에즈바오 (茄子煲)'를 들 수 있다. '위샹치에즈'는 한국어로 매콤한 가지볶음, '치에즈바오'는 돌솥 가지볶음 정도가 될 것이다. 두부 요리로는 유명한 '마포떠우푸(麻婆豆腐)'가 무난하다. 나는 바삭한 식감의 두부 튀김 요리인 '쟈떠루푸(炸豆腐)'도 종종 주문하곤 한다.

4. 국수와 밥

국수는 '깐챠오니우허(乾炒牛河)', '원툰미엔(雲吞麵)', '딴딴미엔(擔擔面)' 중 하나라면 오케이. 그중 소고기와 쌀국수, 숙주와 파 등을 넣어 볶은 '깐챠오니우허'는 필자가 한국에서 손님이 오면 꼭 주문하는 요리이다. 그리고 한국인에게는 광동어 발음 '완탕면'으로 유명한 '윈툰미엔'과 매운 맛을 원하는 이들에게는 사천 국수 '딴딴미엔'도 무난하다. 밥 종류로는 한국에서 먹는 볶음밥과 유사한 '양저우 챠오판(揚州炒飯)'이 누구에게나 환영받는다.

샤떠우푸 (출처: 心食譜)　　　깐챠오니우허 (출처:Cook1Cook)

색다른 음식에 도전하고 싶다면?

유명한 광동 음식인 비둘기 요리 '루거(乳鴿)'를 식탁에 올려보자. 튀기거나 바짝 구워 나오는 이 요리는 필자의 장인어른이 담백한 맛이라며 좋아하셨다. 잠깐! 메뉴판에 '티엔지(田鷄)'라는 이름이 가끔씩 눈에 띄는데 이건 닭고기가 아니라 개구리 요리이니 주의할 것. 물론 호기심이 생긴다면 도전해 봐도 좋다.

187

루거 (출처: Open Rice)   티엔지 (출처:爱料理)

　세계 최고의 요리라고 할 수 있는 중국 요리를 정통으로 맛볼 수 있는 홍콩에 살고 있다는 것은 하나의 큰 복이 아닐 수 없다. 중국 음식이 입에 안 맞는 사람들도 위에서 소개한 요리들을 하나 둘 접하며 익숙해져 간다면 홍콩 생활의 즐거움이 배가 될 것이다. 이번 주말에는 가족, 지인들과 함께 중국 요리를 즐겨 보는 것은 어떨까.

우리가 잘 모르는
의외의 명소들

빅토리아 피크, 침사추이, 스탠리 마켓, 리펄스베이, 오션파크, 디즈니랜드, 옹핑 케이블.. 홍콩의 명소하면 으레 떠오르는 곳들이다. 이들은 홍콩의 여행지를 소개하는 안내 책자나 인터넷 블로그 등에서 빠지지 않고 나오는, 그래서 다소 식상하게 느껴질 수도 있는 장소이기도 하다. 하지만 홍콩에 이런 명소가 전부는 아니다. 우리가 잘 모르는 의미 있는 곳들도 있으니 이중 일부를 소개해 보고자 한다.

1. 타임즈 선정 아시아 체험 추천지 – 신광씨위엔(新光戱院) (홍콩섬, 노스포인트)

신광씨위엔은 미국 타임지에서 선정한 '아시아 체험을 위해 들러야 하는 곳' 7위에 오른 장소이다. 참고로 '씨위엔(戱院)'은 극장이라는 뜻이다. 북경에 경극이 있다면 홍콩에는 광동의 경극, 즉 월극(粤劇)이 있다. 월(粤)은 광동을 의미한다. 원래 이 극장은 월극의 상징처럼 여겨지던 곳이었다. 곧 문을 닫는다는 뉴스가 몇 차례 전해지기도 했으나 성공적으로 살아남았다. 최근에는 월극 외에 영화 상영도 하고 있고 연극도 무대에 올려지고 있다.

신광씨위엔 (출처: 文匯報)

2. 100년전 세계 6대 젖소 농장 (홍콩섬, 폭푸람)

지금으로부터 약 100년 전, 홍콩섬에는 세계 6대 규모의 젖소 농장이 있었다. 1886년 노벨의학상 수상자인 의사 패트릭 맨슨은 스코틀랜드 출신으로 의사이자 사업가였다. 그는 홍콩 사람에게 신선하고 저렴한, 그리고 위생적인 우유를 공급하고자 했다. 이를 위해 토지를 매입하여 젖소를 길러 우유 생산에 들어간다. 이것이 바로 지금 슈퍼마켓에 가면 흔히 볼 수 있는 우유 브랜드 '데어리

팜(Dairy Farm)'의 역사이다. 이 회사의 전성기였던 1930년대에는 무려 1,500마리의 소들이 폭푸람 농장에서 사육되었다. 1983년 문을 닫았고 지금은 주택지로 바뀌어 있다.

하나 홍콩 정부에서 1985년, 이곳의 고급 기숙사를 기념지와 같은 곳으로 살려 놓았다. 아울러 이 일대를 현대식 목장으로 개조하여 2020년 준공한다는 계획을 갖고 있다.

3. 홍콩 과일의 80%를 공급하는 야마테이 과일 시장
(구룡, 야마테이)

이곳은 홍콩 최대의 과일 도매 시장으로 1910년대에 개설되었다. 현재 200여 도매상이 운집되어 있고, 홍콩에서 판매되는 과일의 80%를 공급한다. 야마테이 과일 시장은 도매업으로 명성을 얻었지만 지금은 소매상이 대부분이다. 신선하고 저렴한 과일을 살 수 있다는 것이 장점이다. 과일 애호가들이라면 한 번 방문해 보면 좋을 것이다.

4. 영화와 드라마, 셀카 촬영 명소 - 야마테이 경찰국
(구룡, 야마테이)

홍콩의 색다른 곳에서 셀카를 찍고 싶은가? 그럼 야마테이 과일 시장을 방문하기 전, 캔톤 로드와 퍼블릭 스퀘어 로드 교차점에 있는 야마테이 경찰국에 들러보자. 이 건물은 1900~1910년 유행하던 에드워디언 건축 양식으로 설계되었다. 이곳은 1952년과 1966년, 그리고 1967년에 몇차례 폭동을 겪기도 했다. 또한 1990년대에는 주변에 총기를 든 강도 사건이 빈발하여 담당 경찰들이 방탄복을 입고 순시를 다녔다고 한다. 현재는 영화 및 드라마 촬영지, 유명 셀카 명소로 변모되어 있다. 성룡의 헐리우드 영화 '러쉬아워 2'가 이곳에서 촬영되었다.

야마테이 경찰국 (출처: Trip.com)

5. 홍콩 최대의 박물관은 샤틴에 - 문화 박물관 (신계, 샤틴)

홍콩 최대의 박물관은 어디일까? 교민들이나 관광객들이 많이 가 본 유명 박문관은 접근성이 좋은 침사추이의 우주 박물관, 역사 박물관 등일 것이다. 하지만 최대 규모의 박물관은 샤틴에 있다. 바로 홍콩 문화 박물관인데, 중국의 전통 가옥 스타일인 사합원 양식으로 건축되었다. 사합원은 가운데 마당을 두고 사면, 혹은 삼면의 주택으로 둘러싸인 가옥을 말한다. 6개 테마의 전시실 및 극장,

192

강연실, 행사장 등으로 구성되어 있다. 우리의 관심을 끌 만한 전
시실은 무협 소설의 대가인 김용 기념관, 월극 문물관, 이소룡 전
시관이다. 매주 수요일은 무료 입장이다. 강변에 위치해 운치도 있
다.

문화 박물관 (출처: Timable)

6. 홍콩 최대 공원은 타이포에 - 타이포 해변 공원 (신계, 타이포)

타이포 해변 공원은 홍콩 최대의 면적을 자랑하는 공원이다.
1,200미터로 연결되는 해변 도로에 노천 극장, 조깅 코스, 모형 선
박 수영장, 연날리는 곳 등 공원 곳곳이 다채롭게 꾸며져 있다. 또
한 바닷바람을 맞으며 샤틴까지 달릴 수 있는 자전거 전용 노선
도 이 공원이 보유한 특징 중 하나이다. 홍콩 반환 기념탑에 오르
면 타이포의 경치를 감상할 수 있다. 서울에 여의도 한강 공원이
있다면 홍콩에는 타이포 해변 공원이 있다.

7. 한때 세계 최대 영화 촬영지 - 쇼(Shaw) 스튜디오
(신계, 클리어워터베이)

명문 대학인 홍콩 과학기술대학에서 가깝다. 1961년에 지어져 '오리엔탈의 헐리우드'로 불리우며 한때 세계 최대의 영화 세트 장으로 군림하기도 했다. 상업 용도, 영화 제작, 주택지 등 크게 3부분으로 설립되었고 20채가 넘는 건축물을 보유하였다. 2015년 9월, 이곳은 홍콩의 1급 역사 건축물로 지정되었다. 현재는 개인 주택지로 향후 보존의 가능성은 미지수로 남아있다.

쇼 스튜디오의 과거(상)와 현재(하)

(출처: Hong Kong Memory, www.shawstudios.hk)

원롱으로 떠나는
주말 여행

지난 토요일 오후, 원롱(Yuen Long)이란 곳으로 여행을 다녀왔다. 이곳은 신계의 끝자락에 위치해 있다. 원롱은 한자로 '元朗(원랑)'인데 원래 지명 이름은 '圓蓢(원랑)'으로 '비옥한 토지'라는 뜻이다. 이곳을 여행지로 소개하려는 이유는 가 볼 만한 곳이 많기 때문이다. 둘째는 홍콩 도심에서 떨어져 있어 나름 여행가는 맛도 느낄 수 있다. 원롱의 낯선 환경은 우리에게 다소 색다른 홍콩의 모습을 선사한다.

지난주 토요일 오후 1시, 수업을 마치고 학원 문을 나섰다. 원롱을 가려면 웨스트 레일 라인(West Rail Line)을 이용한다. 홍함에서 출발하여 이스트 침사추이를 거쳐 튄문까지 가는 지하철 노선이다.

195

붉은 색이 윈롱 지역 (Wikimedia.commons)

원롱 여행의 첫번째 방문지는 남상와이(南生圍)였다. 윈롱은 습지가 많은데 남상와이는 연못을 둘러싼 습지 공원이다. 고즈넉하고 운치있는 7.5km의 산책길을 걸으면 약 두 시간 정도 소요된다. 이곳에는 자전거 하이킹을 즐기거나 가족 단위로 놀러 온 사람들, 그리고 데이트를 즐기는 연인들의 모습이 눈에 띄었지만 한적한 느낌이다.

남상와이

두번째 방문지는 원롱공원이다. 원롱공원 안의 연못에는 자라와 물고기가 노닐고 있고 작은 인공 폭포도 있다. 하지만 이 공원을 찾은 이유는 백조탑(百鳥塔) 때문이다. 백조탑은 30여종의 100마리 새가 살고 있는 탑인데 7층 높이로 지어졌다. 일제 강점기에는 일본군의 형장 및 묘지로 사용되었다고 한다. 나는 새 관찰보다 이곳에 올라 원롱 일대를 조망하고 싶었다. 하지만 방문했을 때는 최근 코로나 바이러스 사태로 인해 아쉽게도 문이 닫혀 있었다.

다음 여행지인 벼룩 시장 및 레드브릭 하우스를 가기 위해 공원을 나섰다. 그런데 다녀 보니 원롱은 생각보다 훨씬 넓은 곳이었다. 이곳의 현지 주민들이 이용하는 특별한 교통 수단을 이용했다. 바로 경철(輕鐵)이다.

경철은 지하철 두 개를 붙여 지상 위에서 움직이는 교통 수단이다. 버스 노선처럼 앞에 차선 번호가 쓰여 있다. 경철역은 버스

정류장 같이 개방되어 있어 개찰구는 없고 탈 때와 내릴 때 역에 있는 옥토퍼스 기계에 카드를 찍으면 된다.

백조탑

경철

구글 맵이 워낙 친절하여 출발지(백조탑)와 도착지(레드브릭 하우스)를 입력하니 경철 타는 곳과 노선 번호 및 내리는 역까지 차례대로 안내해준다. 나는 원룸 여행을 하며 단체방에 있는 홍콩 학생들과 채팅을 했다. 내가 "16년 홍콩 살면서 경철을 처음 타 봐요"라고 하니 한 학생이 "저는 홍콩 사람이지만 아직 한 번도 못 타 봤어요"하고 메세지를 보내왔다. 그러자 이곳에 거주하는 한 명이 "경철은 원롱-틴수이와이-튄문 주민이 아니면 탈 기회가 없어요"라고 글을 달았다. 경철을 타 본 것은 이번 여행이 선사한 색다른 체험이었다.

나는 610번 경철을 타고 아까 내렸던 원롱역으로 돌아왔다. 그리고 원롱역에서 지하철로 한 정거장을 더 가 깜성로드(Kam She-ung Road) 역에서 내렸다. C번 출구로 나가면 바로 앞에 벼룩 시장이 펼쳐져 있다. 이 벼룩 시장은 매주 주말과 휴일에만 열린다. 다른 데서 보기 힘든 깜찍한 장신구와 액세서리, 생활 소품들이 눈에 뜬다.

벼룩 시장을 잠시 둘러보고 레드브릭 하우스로 발걸음을 옮겼다. 벼룩 시장에서 불과 5분 정도의 거리에 있다. 그런데 중간에 눈길을 끄는 골목이 있었다. 리치필드(The Ricchfield)라고 불리는 곳이었다. 카페 골목 같은 분위기였는데, 예술 공간으로도 사용되는 장소였다. 이곳에 들어가 커피 한 잔 마시며 잠시 쉬어갔다. 날씨가 선선하여 밖에 앉았다. 토요일 저녁이 다가오는 시간이었지만 인적이 드물어 조용했다. 바로 뒤에서 흐르는 작은 인공 연못에는 물소리와 함께 화려한 색상의 꽃들이 주변을 아름답게 감싸고 있

리치필드   레드브릭 하우스

었다. 읽으려 가지고 온 책은 넣어 두고 잠시 멍하게 앉아 한가한 시간을 보냈다. 나에게는 선물 같은 시공간이었다.

이곳에 좀 더 오래 앉아있고 싶었지만 레드브릭 하우스가 7시에 문을 닫는다는 얘기를 듣고 부랴부랴 일어났다. 7시가 다 되어 도착하니 이미 파장 분위기였다. 레드브릭 하우스는 말 그대로 빨간색 타일로 만든 집이다. 수공예품과 빈티지 의상, 기념품, 액세서리, 그림을 파는 실내 시장이다. 크지는 않았지만 독특한 분위기가 있다. 조금 늦게 가서 문을 닫은 곳들이 많아 아쉬웠다.

한 시가 넘어 시작된 여정은 7시 반이 되어 끝이 났다. 사실 윈롱은 가 볼만한 곳이 몇 군데 더 있다. 윈롱 깜틴 마을의 벽화촌에서는 자원 봉사자들이 그린 30여점의 마을 벽화를 볼 수 있고, 깜틴 컨트리 클럽은 농장 체험 및 바베큐를 할 수 있는 곳이다.

원롱 깜틴 벽화촌 (출처: Dimsum Daily, 大公文匯)

원롱은 홍콩을 살면서 주말 여행으로 한 번 가 볼만한 곳이라 생각된다. 교통이 좋아 그렇게 멀게 느껴지지 않는다. 이스트 침사추이에서 웨스트 레일 레인을 타고 가면 20분만에 도착한다.

현지 음식 문화 체험하기 – (1) 차찬팅

코로나 바이러스 상황이 호전되면서 사람들의 모임과 외출이 증가하고 있다. 이에 맞춰 3회 연속 시리즈 '현지 음식 문화 체험하기'를 연재한다. 오늘은 첫 회로 홍콩 음식 문화를 얘기할 때 빼놓을 수 없는 차찬팅(茶餐廳)을 소개한다.

차찬팅의 역사와 특징

차찬팅은 음료인 '차(茶)'와 식당을 의미하는 '찬팅(餐廳)'이 결합된 단어이니 말 그대로 차를 마시며 식사를 즐기는 곳이다. 홍콩 사람들이 저렴하고 손쉽게 이용하는 대중 식당이다. 출근길에는 죽, 면, 토스트나 샌드위치 등으로 아침 식사를 하고, 점심 때는 음료가 포함된 저렴하고 간편한 세트 메뉴를, 저녁과 야식도 다양한 음식을 만족할 만한 가성비로 즐길 수 있다.

차찬팅의 역사는 2차 세계대전 무렵으로 거슬러 올라간다. 당시 서양 문화의 영향을 받으며 서구 음식이 홍콩에 소개된다. 서양식은 가격이 비싸 일반 서민들이 먹기 힘들었다. 이것을 저렴한 가격으로 대중화시킨 것이 바로 '삥쓰(冰室, 광동식 발음 삥쌋)'이라는 식당의 형태인데 차찬팅의 전신이라고 할 수 있다.

당시 삥쓰는 식당 영업증이 아닌 분식 영업증을 얻어 손님을 맞았다. 아침, 점심으로 커피와 밀크 티, 그리고 빵과 간식 등만 제공되었고 그것만으로도 문전성시를 이뤘다. 하지만 저녁 식사를 할 수 없어 점점 경쟁력이 떨어지면서 쇠퇴하게 된다.

이후 삥쓰는 서양식과 함께 중국 음식도 메뉴에 올리면서 대중식당의 모습으로 서민들에게 다가갔다. 이것이 바로 차찬팅이다. 차찬팅이란 단어는 70~80년대에 들어 유행하기 시작했다. 하지만 '冰室'의 간판을 단 현지 식당은 지금도 종종 눈에 띈다. 예전에 비해 음식을 다양화하여 진화된 차찬팅의 하나라 할 수 있겠다.

차찬팅의 장점은 무엇일까? 이 양을 이 가격에 팔아도 망하지 않을까 괜한 걱정을 불러 일으키는 가성비, 바쁜 현대인의 속도에 보조를 맞추는 신속함과 간편함, 동서양을 아우르는 음식의 다양함으로 요약할 수 있을 것이다. 차찬팅의 주방에서는 전세계의 다양한 음식들이 조리되는 바, 이탈리아 스파게티, 일본 우동, 말레이지아 카레, 심지어 한국 돌솥비빔밥을 파는 곳도 있으며 이 외에 태국, 베트남, 싱가폴 음식도 한 곳에서 맛볼 수 있다.

차찬팅을 즐겨 보자 - 추천 음식들

독자들의 조급한 아우성이 귓가에 전해지는 듯하다. 그래, 그래서 뭘 먹으면 되냐고?! 사실 홍콩 사람들이 차찬팅에서 즐기는 음식이 한국인의 입맛에 다 맞는 것은 아니다. 같은 한국인의 입맛으로서 엄선하여 골라 보았다. (음식 이름은 푸통화 발음임)

1. 국수: 깐차우니우허(乾炒牛河), 씽저우챠오미엔(星洲炒面), 러우쓰챠오미엔(肉丝炒面)

깐챠우니우허는 소고기 볶음면이다. 앞에 '한국인이 좋아하는 중국 요리는?'에서 소개한 적이 있다. 한국 사람이라면 모두 좋아한다. 단, 칼로리 왕으로 둘째 가라면 서러우니 적어도 두 명 이상이 함께 먹을 것을 권한다. 씽저우 챠오미엔을 한국어로 번역하면 '싱가폴 볶음면' 정도가 되겠다. 씽저우(星州)는 싱가폴을 말하며 이 음식은 당면 국수에 살짝 카레 맛을 입힌 것이 특징이다. 러우쓰 챠오미엔은 과자같이 바삭한 면 위에 돼지고기와 숙주, 파가 들어간 걸쭉한 소스를 얹어 먹는 음식이다.

2. 빵: 프렌치 토스트, 파인애플번, 에그타르트, 클럽 샌드위치

프렌치 토스트 '시뚜오쓰(西多士)'는 차찬팅의 대표 음식이다. 두꺼운 프렌치 토스트 사이에는 땅콩잼, 위에는 버터와 꿀이 올려져 있다. 소보루 빵 안에 버터가 들어 있는 파인애플 번은 중국 이름으로 '뽀루오요우(菠蘿油)'이다. '뽀루오'는 파인애플인데 소보루 빵이 파인애플처럼 생겼다고 해서 붙은 이름이다. 파인애플 번은 한때 한국에서 '홍콩빵'이라고 불리며 큰 인기를 얻기도 했다. 이외에 에그타르트와 클럽 샌드위치도 무난하다.

프렌치 토스트 (출처: 香港 01)   파인애플 번 (출처: 新蓝网)

3. 밥: 양저우 챠오판(揚州炒飯), 푸롱딴판(芙蓉蛋飯)

볶음밥 중 한국 사람들의 입맛에는 역시 양저우 챠오판이다. 홍콩의 여러 볶음밥 종류 중 한국에서 먹는 볶음밥과 가장 유사하다. 푸롱딴판은 돼지고기와 파를 계란에 풀어 오무라이스처럼 계란 덮밥으로 먹는 음식이다.

4. 음료: 밀크티, 위엔양(鴛鴦), 홍떠우뼁(紅豆冰)

차찬팅에서 가장 인기 있는 음식이 프렌치 토스트라면 음료나 차로는 밀크티가 1순위일 것이다. 홍콩의 밀크티는 망사로 추출하여 만들어지는데 망사의 색깔이 스타킹처럼 변해 일명 스타킹 밀크티라고도 불리운다. 위엔양은 밀크티에 커피를 섞은 것으로 우리 학원의 영국인 영어 선생님이 즐겨 마시곤 했다. 그리고 홍떠우뼁은 팥을 의미하는 홍떠우와 얼음을 넣어 마시는 음료로서 역시 차찬팅의 대표적 음료이다.

스타킹 밀크티(출처: Teavoya日常茶誌)   홍떠우빙 (출처: Yahoo新聞)

유명한 차찬팅 식당은 어디?

홍콩인들이 현지의 음식과 관광지를 소개하는 사이트 'hklazy travel.net'에는 홍콩의 대표적 차찬팅 식당 5곳을 추천하고 있다. 그곳은 몽콕의 쭝궈뼁쓰(中国冰室), 타이항의 순싱차찬팅(順興茶

餐廳), 카우룬시티의 러위엔(樂園), 코스웨이베이의 시시삥쓰(喜喜冰室), 센트럴의 추이화찬팅(翠華餐廳)이다. 이중 추이화(광동식 발음 '추이와':Tsui Wah) 차찬팅은 체인점으로 홍콩 곳곳에서 즐길 수 있다. 이 외에 파인애플 번이 유명하여 한국 여행객들에게도 잘 알려진 캄와 카페(Kam Wah Café, 金華冰廳)도 빼놓을 수 없다.

현지 음식 문화 체험하기 –
(2) 길거리 음식

　　떡볶이, 김밥, 순대, 어묵. 필자가 꼽는 한국 분식 판타스틱 4이다. 한국의 국가대표 분식이라고 할 수 있겠다. 그럼 여기에 필적할 홍콩의 대표들 나오라고 하면 누가 손을 들까?

　　인터넷 사이트를 뒤져 보면 이에 대한 목록들을 찾아볼 수 있다. 나는 차별화를 위해 '한국인들의 입맛에 맞는 길거리 음식'을 소제목으로 하여 선정, 소개하고자 한다. 이들 중 한국 사람들에게도 친숙하여 설명이 필요없는 에그타르트와 지난 칼럼에서 소개한 파인애플 번은 제외하겠다.

1. 길거리 음식의 쌍두마차 - 계란 와플과 카레 어묵

　　홍콩의 판타스틱 4를 뽑아본다면 확실한 주전 멤버 두 가지는 계란 와플과 카레 어묵이다. 나머지 둘은 조사 대상에 따라 결과가 달리 나올 것이다.

　계란 와플과 카레 어묵은 각각 광동어로 까이단자이(鷄蛋仔)와 까리위단(咖喱魚蛋)이라 불린다. 계란 와플과 카레 어묵은 홍콩 길거리 음식의 쌍두마차라 불러도 무방하다. 그만큼 호불호 없이 홍콩 사람들의 폭넓은 사랑을 받고 있다. 둘 다 1950년대부터 선을 보이기 시작하여 지금까지 오랜 인기를 얻고 있다는 것도 공통점이다. 그래서인지 홍콩 사람들에게는 어렸을 때 친구들과 이 길거리 분식들을 먹으며 성장한 추억의 한편이 자리잡고 있다.

계란 와플 (출처: 香港01)　　카레 어묵 (출처: 愛料理)

　계란 와플은 말 그대로 계란을 원료로 하여 만든 와플 모양의 빵이다. 바삭한 맛과 하나만 먹어도 든든해지는 포만감이 장점이다. 최근에는 초콜릿이나 아이스크림 등을 더해 종류가 다양해졌다.

　카레의 매캐한 맛과 어묵의 말랑말랑한 식감이 절묘한 조화를 이루는 카레 어묵은 내가 처음 먹었을 때 감탄이 절로 나왔던 기억이 있다. 첫 느낌이 강했는지 개인적으로 가장 좋아하는 길거리 주전부리이기도 하다. 한국 사람들도 어묵을 좋아하지만 홍콩 사람들이 어묵 사랑은 남다르다. 현지 일간지인 빈과일보에 의하면 홍콩 사람들의 일일 어묵 소비량은 375만개(55톤)에 달한다고 한다. 홍콩 사람 두 명 중 한 명은 매일 한 개의 어묵을 먹는 셈이다.

2. 길거리에서 먹는 딤섬 - 씨우마이와 청펀

내가 선정한 길거리 음식들은 좀 보수적이다. 현지인들의 입맛 기준으로 10위 안에 꼽히는 소 내장(牛雜), 돼지 창자 튀김(炸猪大腸)은 배제하였다. 대신 한국인들에게도 친숙한 딤섬류는 거부감이 덜하여 목록에 올렸다. 그래서 길거리에서 먹는 딤섬인 씨우마이(燒賣)와 청펀(腸紛)을 선정하였다. 이 둘은 또한 홍콩 사람들에게도 인기가 높다.

청펀 (출처: Cook1Cook)   씨우마이 (출처: OpenRice)

210

분식으로 만나는 씨우마이는 밀가루와 약간의 생선으로 만들어져 어묵의 느낌도 살짝 난다. 칠리 소스를 위에 얹어 먹으면 간식으로 훌륭하다. 씨우마이와 가레 어묵은 분식점에서 바늘과 실처럼 항상 붙어 있고 세븐 일레븐에서도 이들을 만나볼 수 있다.

하얗고 매끈한 쌀떡 안에 새우가 들어있는 새우 청펀은 딤섬집에서 한국 사람들에게도 인기가 좋다. 분식점의 청펀은 안에 아무 것도 없는 말랑한 쌀떡이지만 땅콩소스, 칠리소스, 해산물 소스, 토마토 소스 등 다양한 양념을 얹어 먹으면 그 맛 또한 일품이다.

3. 한국의 맛이 그립다면 - 군밤과 군고구마, 그리고 호빵

'여기도 군밤과 군고구마를 파네?' 홍콩의 겨울, 거리를 걷다 보면 우리 눈에 익숙한 노점상을 보게 된다. 커다란 가마솥에서 숯으로 구워 내는 군밤과 군고구마는 으실으실 추운 홍콩의 겨울을 녹여 내는데 안성마춤이다. 군고구마는 한국만 못하지만 따끈하게 먹을 만하고 군밤의 맛은 한국 군밤에 필적할 만하다.

호빵은 개인적으로 넣어 봤다. 딤섬 테이크 아웃 체인점인 통키빠오딤(唐記包店)에 가면 딤섬류 외에도 한국의 호빵과 싱크로율 90%인 홍따우빠우(紅豆包)도 판다. 노스포인트를 자주 지나는 사람이라면 내가 홍따우빠우를 행복하게 입에 물고 걸어다니는 모습을 한 번쯤 봤을 법도 하다.

홍따우빠우 (출처:Openrice)　홍콩식 군고구마/군밤 (출처:香港01)

4. 기타 - 냄새나는 두부, 세가지 보물, 가짜 샥스핀

　제목의 음식 이름들이 왜 이러냐고 묻는다면 하나씩 소개해 보겠다. 냄새나는 두부는 그 유명한 취두부(臭豆腐)이다. 취두부의 '취(臭)'는 냄새가 구리다는 뜻이다. 하지만 나는 대만에서 공부하던 시절부터 취두부를 사랑해 왔다. 한번 먹어 봐야 그 숨겨진 매력을 발견할 수 있다. 내 홍콩에 왔던 초창기에 코스웨이베이에 취두부 파는 곳이 있었다. 그런데 그 별나신 냄새로 여행객들의 항의 후 구박을 받으며 자취를 감추었다는 슬픈 이야기가 있다.

　'세가지 보물'은 광동어로 '찐이영쌈보(煎釀三寶)'로 불린다. 앞에 '찐(煎)'은 지짐, 끝에 두 글자 '쌈보(三寶)'는 세가지 보물이라는 뜻이다. 한국의 명절 음식인 지짐전과 비슷한 느낌인데, 먹고 싶은 3~5종류를 골라 먹는다. 보통 가지, 피망, 두부, 튀긴 어묵, 빨간 소세지가 많은 선택을 받는다.

212

찐이영쌈보 (출처: 香港01)　　　　　　운짜이치 (출처: 下厨房)

'운짜이치(碗仔翅)'의 영어 이름은 '모방 샥스핀 수프(imitation sharksfin soup)'라서 필자는 간단히 '가짜 샥스핀'으로 소개해 보았다. 당면을 주 원료로 하여 목이버섯, 잘게 썬 닭고기, 생선 등을 함께 넣고 전분으로 걸쭉하게 끓인 것이다. 생김새만 보면 그럴 듯한 샥스핀이다.

자, 이제 홍콩의 길거리 음식에 도전할 준비가 되었는가? 여러분의 선택이 궁금하다. 다음 칼럼에서는 현지 음식 문화 체험하기의 마지막 시리즈로 디저트 편을 소개하겠다.

현지 음식 문화 체험하기 –
(3) 디저트

　　차찬팅과 길거리 음식에 이어 오늘은 현지 음식 문화 체험하기 시리즈의 마지막인 디저트 편을 준비하였다. 홍콩에는 다양한 음식만큼이나 디저트들의 종류 또한 셀 수 없을 만큼 많다.

　　현지의 전통 디저트는 통수이(糖水)라고 한다. 따뜻하거나 차가운 탕 안에 여러가지 다양한 원료를 넣어 만든 것이다. 통수이는 광동, 광서, 홍콩, 대만, 마카오, 해남도 등 남중국에서 오랫동안 전해내려 온 전통 디저트이다. 이들 지역은 덥고 습하기 때문에 통수이는 더위를 식혀주거나 몸의 습도를 낮추기 위한 식음료로 식사 후, 혹은 야식으로 제공되어 왔다. 주강 삼각주를 끼고 있는 남중국은 아열대 기후의 특성으로 인해 예로부터 사탕수수가 풍부하였다. 따라서 통수이에는 사탕수수를 원료로 하여 단맛을 내는 한편 몸에 좋은 생강이나 대추, 땅콩, 은행, 호두, 깨, 토란, 두부피를 넣어 그 종류가 다양하다.

최근 홍콩에는 젊은이들의 입맛에 맞게 아이스크림과 케이크, 초콜릿 등을 원료로 한 대만, 일본, 한국, 그리고 서구식 퓨전 디저트들이 유행하고 있다. 그러나 홍콩 사람들은 여전히 현지식인 통수이 디저트도 많이 즐기고 있다.

홍콩을 지나다 보면 디저트를 뜻하는 '甛品(팀반)'이라고 쓰여 있는 간판이 보이는데, 이것이 전문 디저트를 취급하는 식당이다. 우리가 체험해 볼 만한 현지 주요 디저트들을 몇 가지 소개해 보고자 한다.

1. 모두에게 무난한 망고 푸딩 (芒果布甸)

망고 푸딩 (출처: Cook1Cook)   망고 찹쌀떡 (출처:愛料理)

홍콩에서 몇 년간 살아 본 교민이라면 망고 푸딩은 한 번 정도 먹어 봤을 법하다. 모두의 입에 맞는 무난하고 맛있는 디저트이다. 홍콩에는 망고를 주재료로 하는 디저트들이 매우 많다. 망고 푸딩 외에도 말랑말랑한 하얀 찹쌀떡 안에 망고가 들어 있는 망고 찹쌀떡(芒果糯米糍, 광동어 발음 '몽궈 노마이치'), 망고 우유 푸딩(芒果雙皮奶: 몽궈 썽페이 나이), 망고 코코넛 흑찹쌀(芒果椰汁黑糯米: 몽궈 예잡 학노마이)이 그것인데 모두 인기있는 디저트들이다. 망고를 싫어하는 사람들이 얼마나 될까? 망고가 들어간 디저트들은 실패할 확률이 작다.

망고 우유 푸딩(출처:美食天下)　　망고 코코넛 흑찹쌀(출처:下厨房)

2. 한국의 단팥죽과 비슷한 홍따우사(红豆沙)

　　홍따우사는 위에서 소개한 통수이 중 하나이다. 겉으로 보면 한국의 단팥죽을 떠올리게 한다. 사실 단팥죽은 동아시아 국가인 한, 중, 일에서 비슷한 형태의 음식으로 만날 수 있다. 홍콩에서 먹는 홍따우사는 죽이라기보다 팥을 주 원료로 끓인 음료의 형태로 좀 더 묽게 해서 먹는다. 단맛이 강하고 팥 껍질에서 나오는 쌉쌀한 맛도 살짝 느껴진다. 약간은 다르지만 팥죽을 먹는 한국 사람들에게 익숙한 맛이다. 그리고 동지에 팥죽을 끓여 먹는 우리나라와는 달리 홍콩 사람들은 이 명절날 홍따우사를 먹지는 않는다.

홍따우사 (출처:下厨房)   따우푸화 (출처: Cook1Cook)

3. 홍콩 사람들의 보편적인 사랑을 받는 따우푸화(豆腐花)

따우푸는 두부를 말하는데 순두부 푸딩이라고 할 수 있겠다. 홍콩의 디저트를 말할 때 따우푸화를 빼고 말할 수 없을 정도로 유명하다. 우리 학원 근처에는 따우푸화를 전문적으로 파는 디저트점이 있어 방문해 보았다. 재료에 따라 따우푸화 종류만 9개가 있었고 그중 제일 잘 팔리는 것으로 주문했다. 순두부 안에 은행 가루가 들어간 것이었는데, 단맛과 생강 맛이 가미된 느낌이었다.

식당에는 설탕 시럽과 생강 시럽, 또 붉은 설탕 가루가 준비되어 있어 기호에 따라 넣어 먹게 준비되어 있었다. 따우푸화는 따뜻하게 먹기도 하고 차갑게 해서 즐길 수도 있다. 내가 방문했을 당시 테이크 아웃으로 사 가는 사람들도 눈에 띄었다.

4. 젊은층에게는 영지깜로우 (楊枝甘露)

위에서 망고를 재료로 하는 디저트가 많다고 했는데 영지깜로우 역시 망고가 들어간다. 그레이프 푸르츠, 망고, 시미(西米: 투명하고 작은 구슬처럼 생긴 과일)를 주재료로 한다. 망고와 그레이프 푸르츠는 비타민이 풍부하여 이 영지깜로우는 영양까지 챙기게 해주는 한편 젊은층에게도 인기가 많은 디저트이다.

영지깜로우 (출처: Cook1Cook)   시미 (출처: 愛料理)

5. 개인적인 취향은 통원(湯圓)

통원은 개인적인 취향으로 목록에 넣었지만 홍콩에서 유명한 디저트 중 하나이기도 하다. 한국 사람들의 입맛에 맞기에 소개하고자 한다. 또한 통원은 음력 1월 15일인 원소절(元宵節), 혹은 제야에 먹는 전통 명절 음식에 속한다. 작고 말랑한 떡 안에 종류에 따라 깨, 설탕, 땅콩잼 같은 것이 각각 들어가 있다. 개인적으로는 깨(芝麻)가 들어간 것이 제일 맛있었다. 달달한 탕과 함께 떠 먹는다. 현지 슈퍼마켓에서 냉동 식품으로도 팔기 때문에 집에서 간편하게 즐길 수 있는 디저트이다. 내가 통원을 처음 접한 것은 대만에서 공부할 때였다. 말랑말랑하고 달달한 맛에 반해 귀국시 한가득 사갖고 왔던 기억이 있다.

통원 (출처: Openrice)

홍콩의 디저트류를 몇 종류 알아두면 도움이 되는 경우가 현지인들의 식사 초대를 받았을 때이다. 중국 식당에서 식사 후 종종 디저트를 시키게 된다. 식사에 초대한 홍콩 사람들이 무슨 디저트를 먹겠냐고 질문을 해 온다. 뭐가 뭔지 잘 모르는 경우 메뉴판에 있는 몇 개를 소개받게 될 터인데, 이때 종류를 설명하는 사람과 듣는 사람 모두 수고가 필요하다. 평소에 좋아하는 디저트를 몇 가지 알아둔다면 서로의 노고를 덜어줄 것이다.

제4장

•

홍콩인과 한국

홍콩 사람들이 좋아하는 한국 음식은?

전 세계의 음식을 맛볼 수 있는 미식의 천국 홍콩에서 한국 음식은 홍콩 사람들에게 사랑받는 음식 중의 하나가 되었다. 그리고 홍콩 곳곳에서 많은 한국 식당을 만날 수 있다. 또한 지리적인 인접성 때문에, 한편으로는 한류의 영향으로 홍콩인들이 한국을 많이 찾고 있는데, 한국 여행을 즐기는 사람들이나 한류팬들은 우리가 생각하는 것 이상으로 다양한 한국 요리를 즐기고 있다.

홍콩 사람들은 '한국 음식'하면 크게 세 가지 정도를 떠올리는 것 같다. 바로 '매운 맛', '김치', 그리고 '한국 BBQ'이다. 여기에 하나 더, '무료로 주는 다양한 반찬'은 한국 음식이 갖는 하나의 매력 포인트이기도 하다. 지난번 칼럼에서 언급한 바와 같이 홍콩인들은 매운 맛에 약한 편이다. 한국 음식 중에 매운 요리가 많은데, 홍콩 사람들은 아무래도 덜 매운 것을 선호하는 경향이 있다. 이곳 현지인들이 좋아하는 한국 음식은 홍콩의 한국 식당에서 자주 먹는 음식과 한국에 가면 꼭 먹는 음식으로 구분해 살펴 보겠다.

홍콩의 한국 식당에서 자주 먹는 음식

우선 홍콩의 한국 식당에서 이곳 현지인들이 즐기는 음식은 (돌솥)비빔밥, 삼계탕, 김밥, 순두부찌개, 냉면, 잡채, 김치전, 해물전, 후라이드 치킨 등으로 순두부찌개를 제외하고 보통 맵지 않은 음식이다. 예전에 코스웨이베이에 있는 한 대형 한국 식당에 가서 "홍콩 사람들이 점심 메뉴로 많이 먹는 게 뭐예요?"라고 한국인 매니저에게 물어본 적이 있다. 그리고는 "돌솥 비빔밥이 셀 수 없을 만큼 나가요. 홍콩 사람들이 정말 좋아하네요"라는 대답을 들은 적이 있다. 잡채나 삼계탕은 중국 음식 중에 비슷한 것이 있어 입에 잘 맞는 거 같고, 특히 삼계탕의 경우 몸에 좋은 음식이라는 것을 이곳 사람들도 알고 있어 더욱 많이 찾는다. 후라이드 치킨은 인기를 얻었던 드라마 '별에서 온 그대'를 통해 치맥이 알려지며 크게 유행한 적이 있다.

이 외에도 당연히 한국 음식하면 떠올리는 고기류, 즉 등심, 삼겹살, 갈비, 불고기 등도 인기가 많다. 특이한 것은 한국 사람들은 잘 찾지 않는 소의 혀, 즉 우설(牛舌)을 이곳 사람들은 고기의 한 종류로 여겨 구이용으로 잘 먹는다. 그리고 식사하는 방식도 우리와 좀 다르다. 한국 사람들은 보통 고기나 요리를 먼저 먹고 식사는 나중에 한다. 홍콩인들은 돌솥 비빔밥 같은 식사류를 고기 구이 및 다른 요리와 함께 식탁위에 올려 동시에 즐기는 경향이 있다.

한국 방문시 즐기는 한국 음식

다음은 홍콩 사람들이 한국을 찾는 경우이다. 이들이 한국에 가면 보통 즐겨 찾는 음식 탐방 코스가 있다. 보통 홍콩에서 맛 보기 힘들거나 한국에서 유명한 맛집이다. 우선 홍콩에서도 "Hanwoo"라는 고유 명사로 사용되고 정도로 인정받는 한우는 고급 육류 요리로서 여겨져 홍콩 사람들을 매료시키고 있다. 홍콩인들은 서울에 오면 비싼 한우를 비교적 저렴하게 먹을 수 있는 서울의 마장동을 즐겨 찾는다. 춘천의 닭갈비, 그리고 안동까지는 못 가더라도 서울에서 맛볼 수 있는 안동 찜닭도 홍콩 사람들이 한국에 와서 즐겨 먹는 음식 중 하나이다. 제주도에서는 꼭 흑돼지 삼겹살을 찾는다. 먹어본 홍콩인들은 하나같이 최고로 손꼽는다. 부산에 가면 외국 사람들이 쉽게 도전하지 못할 것 같은 돼지국밥을 좋아한다. 평소 핫팟(hot pot) 등을 통해 내장을 친숙하게 먹는 홍콩 사람들의 입맛에 거부감이 없기 때문인 것 같다. 그리고 홍콩인들의 뜨거운 사랑을 받고 있는, 그래서 빼놓을 수 없는 음식이 있는데 바로 간장게장이다. 간장게장을 먹어 본 홍콩인들은 그 맛을 잊지 못한다. 이들도 간장게장이 '밥도둑'임을 인정할 정도이다.

분식이나 디저트류로는 떡볶이, 김밥 등이 특히 젊은층들에게 인기가 있다(순대는 별로다). '김밥 천국' 같은 한국의 김밥 분식 전문점은 홍콩의 차찬팅을 연상할 만큼 다양한 종류와 저렴한 가격으로 홍콩 사람들이 즐겨 찾는다. 한국에서 유학을 했던 한 홍콩 학생은 한국의 '김밥 천국'을 너무 사랑한 나머지 죽어서도 김밥 천국에 가고 싶다는 말을 해 내가 웃은 적이 있다. 인기있는 디저트로는 팥빙수를 꼽을 수 있다.

홍콩 사람들을 한국 식당에 초대해서 '뭐 좋아하세요?'라고 물으면 보통 체면 때문에 '너무 매운 거 아니면 다 좋아요'라고 말한다. 따라서 위에서 언급한 음식들을 눈치껏 시킨다면 그날 접대는 나름 성공 가능성이 높다. 한국 음식에는 한국 술이니 여기에 홍콩 사람들게도 인지도가 있는 막걸리 한 사발 곁들여 보자. 단, 술을 못하는 홍콩 사람들도 많으니 한국식 음주 강요는 금물이다.

한류의 어제와 오늘 –
'마지막 승부'에서 BTS까지

"그동안 일본 드라마가 인기 있었는데 한국 거는 처음 봤어. 한국 배우들이 이렇게 잘생기고 예쁜 줄 몰랐네." 1995년 대만에 어학연수를 갔을 때 현지인에게 들은 말이다.

당시 대만에서는 한국 드라마 '마지막 승부'가 방영됐었다. 장동건, 손지창, 이종원, 심은하 등 당시 청춘 스타들이 대거 출연하여 한국에서도 화제가 되었던 드라마다. 이 노래의 주제곡도 인기가 있어서 한 대만 여학생은 내게 한국 가면 노래 테이프를 보내달라고 부탁하기도 했다. 이것이 내가 접한 최초의 한류였다.

그리고 취업 후 2000년대 초반 홍콩을 출장차 몇 번 다녀 갔었다. 그때 같은 회사의 현지 주재원에게 이런 얘기를 들었다.

"요즘 '엽기적인 그녀'가 엄청 인기야. 주변 사람들이 많이들 봤

227

더라고.” ‘엽기적인 그녀’는 홍콩에서 14년간이나 최고 흥행 한국 영화 기록을 보유한 작품이 되었다. 이 기록은 2016년 ‘부산행’에 의해 깨진다.

한류는 이 당시 본격적인 흥행몰이를 위한 기지개를 펴고 있었다. 내가 2004년 홍콩에 주재원으로 온 이후 거래처들과 이야기를 하다 보면 한국 드라마와 가수들이 종종 화제에 올려졌었다. 한번은 거래처의 한 홍콩 사장이 “요즘 내 아내가 ‘겨울연가’의 노랑머리한테 푹 빠져있어”라고 말하자 옆에 있던 일본인 파트너 역시 거들었다. “그 배운 일본에서 욘사마라고 불리는데 인기 끝내주지.” ‘겨울연가’의 노랑머리는 우리가 잘 알고 있듯이 배용준을 가리키는 것이었다.

또한 드라마 ‘풀 하우스’로 홍콩에서 최고의 인기 스타가 된 ‘비’도 종종 우리들의 입에 오르내렸다. 홍콩에서 시청률 50%까지 찍었던 드라마 ‘대장금’도 화제에서 빼 놓을 수 없었다. 한류는 딱딱한 비즈니스가 오가는 자리를 부드럽게 해주는 분위기 메이커 역할을 한 것이다.

동업계 한 주재원의 경험담이다. 차를 운전하다가 가볍게 사고가 나서 교통경찰이 현장에 도착했다. 한국 사람이라고 하니까 그 홍콩 경찰은 반가워하며 대뜸 “‘주몽’ 봤어요?” 하고 물어보더란다. 차를 세워놓고 바쁜 와중에 그 한류 경찰팬은 ‘주몽’이 어쩌고 저쩌고 하며 드라마 얘기를 늘어놨는데 어쨌든 덕분에 사고가 잘 마무리되었다고 한다.

이렇게 2000년대 초반부터 한류의 인기에 불이 붙으면서 한국에 대한 이미지도 점점 새롭고 강하게 인식되었다. 당시 한 모임에서 어떤 교민이 이런 얘기를 했다. "요즘 홍콩에서 한국의 국가 브랜드가 많이 높아졌어요." 한류 덕분에 한국산 화장품, 패션, 기타 메이드 인 코리아 제품이 각광을 받게 된 것이다. 코로나 바이러스가 유행하던 때에는 한국 마스크가 최고의 품질로 인정받아 비싸게 팔리기도 했다.

나는 홍콩에서 한류의 덕을 톡톡히 보고 있는 사람이다. 내가 회사를 그만두고 박사 공부를 위해 학원을 시작하던 초창기에는 중국어만 가르치고 있었다. 하루는 교복을 입은 두 여학생이 와서 한국어를 배울 수 있냐고 물어봤다. 슈퍼 주니어의 팬들이었다. 이들은 나의 첫 한국어 수업 학생이 되었고 덕분에 나는 경험을 쌓은 후 HKU SPACE(홍콩대학교 전업진수학원)에서 한국어 교사로 일하고 있다. 이곳은 홍콩내 최대 한국어 교육원으로 약 2천 명 가까이 한국어를 배우고 있다.

HKU SPACE에서 많은 홍콩의 한류팬들을 만나며 한국의 드라마, K-Pop, 더 나아가 우리의 문화가 얼마나 많은 사랑과 관심을 받고 있는지 느낄 수 있었다. 이들에게 한국어를 배우는 이유를 물어보면 열의 아홉은 모두 한류의 영향 때문이라 대답했고, 업무 관련은 극소수에 불과했다.

그래서 초창기에는 불안한 마음도 없지 않았다. 유행이라는 것이 곧 사그라들게 마련인데 한류가 꺼지면 어떡하냐는 생각에서였다. 하지만 이 유행은 20년 가까이 긴 생명력을 유지하고 있다. 예전에 홍콩의 한 TV 프로그램에서 한류에 대한 다큐멘터리를 방송한 적이 있다. 한류의 힘에 대한 배경으로 김대중 정부 시절 문화 산업을 중점 육성 과제로 지원한 것을 원동력으로 꼽았다. 한 현지 신문에서는 한국 드라마 인기 비결을 분석하기도 했다. 한국이 드라마의 왕국이라고 말할 정도로 매년 무수히 많은 작품을 쏟아내다 보니 치열한 경쟁에서 살아남기 위해 제작의 질이 높아질 수밖에 없다고 보도했다.

한국 드라마에 대해 말하자면 다른 긍정적인 영향 또한 언급하지 않을 수 없다. 바로 한국 문화 전파자로서의 역할이다. 드라마를 자주 보는 사람들이라면 한국의 식사 예절, 음주 문화, 놀이 문화, 사회 예절 등에 대해 잘 알고 있다. 이들에게 '어떻게 알아요?'하고 물어보면 '드라마에서 봤어요'라고 대답한다. 얼마전 종영된 '이태원 클라쓰'에서는 아들이 아버지에게 음주 예절을 배우는 장면이 나온다.

이렇게 한국을 알리는데 막대한 기여를 하는 한류 배우와 가수, 그리고 이들을 키워내고 콘텐츠를 제작하는 관계자들에게 감사하지 않을 수 없다. 한류는 홍콩에서 나에게 일자리를 주었고 더 나아가 한국 문화를 알리며 국가 위상을 드높인 것에 커다란 공로가 있다. 그리고 한류 관계자들이 만들어내는 쇼핑, 관광 등 부가가치 또한 상당하다.

1~2년 전이었다. 코스웨이베이에 약속이 있어 갔다가 길에서 한 홍콩 지인을 만났다. 바로 10여년전, 아내가 '겨울연가'의 노랑 머리에 빠져있다고 말한 그 거래처 사장이었다. 어느새 하얀 머리가 된 그는 반가워하며 말했다.

"야 브라이언~ 정말 오랜만이야. 사업 잘 되나? 참, 명함 좀 줘봐. 우리 딸이 한국어를 배우고 싶어하는데 요즘 BTS에 아주 미쳐있다구!"

이런 한국 문화,
이해하기 힘들어요

동아시아 국가들은 지리적으로 가깝고 같은 유교 및 한자권의 영향으로 비슷한 문화를 많이 볼 수 있다. 하지만 나라마다 서로 다른 독특한 문화 또한 적지 않다. 내가 10년간 한국어를 수업하면서 홍콩 사람들이 많이 언급했던 이해하기 힘든 한국 문화를 이야기로 엮어봤다. 여기 가상의 인물인 홍콩 사람 레오 씨(남자)와 제니(여자) 씨가 한국에 있는 회사에 근무하게 되면서 겪는 좌충우돌 문화 체험기를 소개한다.

오늘은 제니 씨가 한국 회사에 첫 출근하는 날이다. 홍콩에서는 으레 빵을 사들고 사무실에서 아침을 먹었지만 한국의 문화는 다르다고 들었다. 회사에 도착하니 안에서 식사하는 사람을 볼 수 없었다. 제니 씨는 일찍 일어나 집에서 먹고 오기를 잘했다고 생각했다.

점심 시간에 제니 씨의 환영회 겸 회식으로 같은 팀 직원들은 식사를 하러 갔다. 오늘은 한국에서 제일 더운 날 중 하나인 중복이었다. 날씨가 뜨거워 시원한 게 먹고 싶었던 제니 씨는 모두가 주문한 음식을 보고 기겁을 했다. 휴대전화에는 현재 기온 33도를 찍고 있건만 이들이 하나같이 먹는 것은 펄펄 끓는 삼계탕이 아닌가! 뭐 이열치열이라나.

식사가 시작되었다. 제니 씨 옆에 앉은 직원이 대뜸 나이를 묻는다. 처음 보는 숙녀분에게 나이를 물어보네. 이거 실례 아냐? 대답을 해야 하나? 우물쭈물하던 중 다른 직원이 눈치를 챘는지 설명해 준다.

"한국에서는 나이에 따른 서열이 중요해요. 존댓말에도 주의를 해야 하고요. 그래서 물어보는 거니까 오해 마세요. 하하~"

아.. 그런 거구나. 내가 노안이라 나이 말하면 놀랄텐데, 제길..

출근 첫날부터 문화 차이를 경험한 제니 씨. 주말이 되어 명동에 나가 쇼핑을 했다. 쇼핑백을 양 손에 들고 지하철을 이용해 레오 씨를 만나러 간다. 자리가 없어 서서 가던 중 갑자기 한 손이 가벼워지는 것을 느낀다. 깜짝 놀라 확인해 보니 앞에 앉은 아주머니가 제니 씨의 쇼핑백 하나를 가져가 무릎 위에 올려 놓는 것이 아닌가! 제니 씨는 깜짝 놀라 '도둑이야!'를 외칠 뻔했지만 한국어로 도둑을 뭐라고 하는지 몰랐다. 너무 당황해하는 자신과는 달리 아주머니는 인자하게 웃고 계신다. 이건 무슨 상황이지?

"그 가방도 이리 줘요. 무거울 텐데."

아하, 아주머니의 말씀을 듣고 지금의 장면이 이해가 된다. 이게 한국 사람들의 정이라는 거구나.. 경찰을 부를 뻔했네.

옆 팀에서 근무하게 된 레오 씨를 만나기 위해 제니 씨는 약속 장소인 카페를 찾았다. 한국의 커피숍은 홍콩의 세븐 일레븐보다도 많았다. 여기 사람들은 도대체 하루에 커피를 몇 잔이나 마시는 거야?

제니 씨는 한 카페에서 일주일간 겪었던 레오 씨의 문화 체험을 듣게 된다. 출근 첫 날이었다. 레오 씨는 식당에서 점심을 먹다가 옆 테이블에 앉은 아주머니에게 주의를 들었다. 식사하며 코를 푼 것이다.

"젊은이, 외국 사람 같은데 밥 먹을 때 코를 풀면 안돼요."

영어를 못 하는 아주머니는 코 푸는 동작을 취하며 한국어로 타일렀다. 홍콩에서는 이거 가지고 누가 뭐라 안 하는데..

순두부찌개를 시킨 레오 씨는 밥 공기를 들고 식사를 계속하고 있었다. 이때 옆의 직원이 살짝 귀띔한다.

"한국에서는 밥 공기를 들고 먹지 않아요."

둘러보니 정말 다른 사람들의 밥 공기는 식탁 위에 붙어 있다. 점심을 먹고 사무실에 들어간 레오 씨는 화장실에 갔다가 낯설은 풍경에 어안이 벙벙해진다. 좁은 화장실에 빽빽하게 들어선 직원들이 무슨 이빨 닦기 대회를 하는지 열심히 양치질 중이다. 과장님, 대리, 일반 사원할 거 없이 말이다.

"저.. 우리 회사는 자주 이빨 검사를 하나 보죠? 쾌적한 환경을 위해서인가요?"

레오 씨는 궁금증을 참지 못해 김대리에게 물었다.

"그건 아니구요. 그냥 분위기랄까? 하나의 직장 문화예요. 하루 세 번 양치질하라는 얘기를 어려서부터 듣고 자라기도 했구요."

홍콩 사람들은 일어나서 한 번, 자기 전 한 번, 하루에 두 번만 닦으면 끝인데.

그날 저녁, 레오 씨를 위한 환영회 회식이 있었다. 한국은 홍콩에서 거의 없는 회식 문화가 많다는 것을 익히 알고 있었다. 그래도 예전보다는 회식이 줄었고 강제적으로 참여하는 분위기도 많이 사라졌다고 들어 안심하고 한국에 왔다.

살짝 긴장한 채 회식 자리에 참석한 레오 씨. 팀장님이 소주를 원샷하더니 그에게 잔을 건넨다.

"받으세요. 이건 한국식 음주 문화예요."

아, 들은 적이 있다. 잔 돌리기 문화. 팀장님은 점심 시간에 양치질도 안 하시던데ㅠㅠ. 레오 씨는 입이 안 묻은 곳으로 살짝 돌려 마시고는 다시 잔을 드렸다.

이때 안주로 시킨 탕 종류가 나왔다. 맛있어 보여 레오 씨는 침을 꿀떡 삼켰다. 하지만 원샷 후 알딸딸하던 레오 씨는 잠시 후 벌어진 광경에 정신이 번쩍 들었다. 팀장님의 숟가락이 그 탕에 한 번 들어 갔다 나오더니 이대리, 박대리, 김과장의 숟가락이 차례대로 들랑날랑한다. 충격을 받은 레오 씨는 내일 당장 홍콩으로 돌아가는 비행기 편을 확인하고 싶었다.

회식 다음 날 다른 직원에게 그 충격적인 장면에 대해 물어봤다.

"놀랐어요? 잔을 돌리는 문화나 한 그릇 문화나 다 정을 나누기 위한 것이라고 해석해 주세요."

그래서 한국 사람들은 정이 많은 건가?

커피숍에서 만난 홍콩의 두 이방인들은 이해하기 힘든 한국 문화에 대해 시간 가는 줄 모르며 이야기 꽃을 피웠다.

제5장

•

홍콩에 거주하며

DJ 놀이

<좋은생각> 2019년 11월호에 실린 글을 각색했습니다.

홍콩에 거주하는 교민들을 만나면 종종 이곳 생활에 만족하고 있는지 물어본다. 보통 각자에게 주어진 환경과 상황에 따라 다른 대답이 나온다. 이로 인해 누구에게는 장점으로 느껴지는 것이 다른 사람에게는 단점이 되기도 한다.

부부의 경우라도 남편과 아내가 느끼는 장단점이 서로 다를 수 있다. 주재원으로 오는 남편에게는 해외 업무가 하나의 좋은 경력이 되지만, 한국에서 직장 생활을 하던 아내의 입장에서는 홍콩 이주가 경력 단절로 이어지기도 한다. 최근 기업 출장 강의를 가 보면 예전과 달라진 분위기를 느낄 수 있다. 아내와 자녀는 한국에 남고 주재원으로 혼자 오는 남편들이 많아졌다는 것이다. 이는 아내가 한국에서 일을 하고 있거나 아이의 교육 문제가 주 원인인 것 같다. 반대로 아내가 주재원이나 현지 채용의 조건으로 오고 남편이 한국에 남아있는 경우도 볼 수 있었다.

이렇게 부부에게 누군가에게는 장점이 되는데, 반대로 다른 한쪽에는 단점이 되는 사례가 하나 더 있는 거 같다. 바로 명절맞이이다. 남편의 경우 아들의 입장으로서 명절이 되면 한국에 계신 부모님을 그리워하게 마련이다. 설과 추석의 하이라이트는 아내와 아이를 데리고 본가를 방문하여 즐거운 시간을 보내는 것이 아닌가. 물론 아내도 한국에 남겨진 친정 부모님들이 보고 싶다. 하지만 이들에게는 하나의 큰 임무가 주어진다. 바로 며느리의 역할인데 설이나 추석이 되면 시댁에 가 명절맞이 준비를 해야 한다.

지인 한 명은 언젠가 설을 앞두고 본가 식구들이 대거 홍콩을 방문한다고 하여 비상이 걸린 적이 있었다. 얘기를 들어보니 그는 종손이었는데 주재원 3년 동안 한 번도 설 맞이 귀국을 하지 않았다. 그리하여 괘씸죄(?)로 본가 친척들이 홍콩에서 설을 보내러 온다는 거였다.

여하튼 기혼 여성의 경우 시월드가 멀어졌다는 점은 타국 생활의 장점으로 꼽을 만하다. 그만큼 며느리로서 한국 여성의 역할은 녹록지 않다. 여기에서 오래 산 또다른 지인은 필자에게 이런 얘기를 한 적이 있다. 홍콩에 와서 금슬이 더 좋아졌다고 말하는 부부들이 주위에 많다는 것이다. 홍콩살이로 인해 아내와 시댁과의 교류가 적어지며 갈등도 줄어든 것이 주요 이유 중 하나였다.

덕분에 중간에 있는 남편의 입장도 한결 가벼워진다. 하지만, 설이나 추석이 되면 아들로서 마음 한 구석에 허전함과 죄송함이 자리 잡는 것은 어쩔 수 없다. 나와 같이 외아들이고, 장기 거주 교민이라면 더욱 그렇다.

나의 홍콩 생활이 어느덧 16년에 접어들며 이곳이 이젠 고향처럼 느껴지지만 명절만 다가오면 마음이 편치 못하다. 추석을 며칠 앞두었던 재작년 이야기를 해보려 한다.

이번 명절에는 뭔가 색다른 선물을 드리고 싶었다. 그러다 문득 학창 시절 친척들과 같이 했던 'DJ 놀이'가 생각났다. 팝송을 좋아하는 사촌 친척들이 같이 라디오 DJ처럼 음악을 틀어주는 놀이였다. 한 명이 DJ, 한 명이 엔지니어, 한 명이 PD 이런 식으로 역할을 나눠서 들어주는 사람은 없지만 우리끼리 카세트 라디오 하나 놓고 같이 놀곤 했었다. 내 역할은 항상 DJ였다.

이번 추석, 나는 다시 DJ가 되어 고국에 계신 부모님께 좋아하시던 음악을 들려드려야겠다는 생각이 떠올랐다.

"안녕하세요, 안녕하세요~ 홍콩에서 진솔이네 진솔이 아빠 인사 드립니다. 한국은 곧 귀성 행렬이 이어지겠네요. 추석이 다가오며 마음 한 구석이 또 허전해지기 시작합니다. 명절 때 함께하지 못해 늘 죄송한 마음뿐입니다. 그래서 올해는 특별히 제 마음을 음악에 담아 부모님께 띄워 드리고자 합니다. 부모님이 좋아하시는 폴 앵카의 '다이애나' 준비했습니다. 자, 들어보시죠. 다이애나~"

유명 DJ 흉내를 내가며 휴대전화로 녹음한 후 컴퓨터에서 나오는 음악을 연결, 카카오톡 가족 단체방에 올렸다. 역시 기대한 대로 부모님은 뜨거운 반응을 보여주셨다.

그런데 뜻하지 않은 오해(?)가 발생했다. 내가 보내드린 폴 앵카의 '다이애나'를 내가 직접 부른 줄 아신거다. 부모님은 주위 분들에게 우리 아들이 부른 노래라고 소개하며 들려주셨고 들은 분들도 모두 속아 넘어가셨단다. 심지어 어머니는 산악회 버스 안에서 이 음성 파일과 노래를 회원들에게 들어줬는데 버스가 들썩일만큼 큰 박수 세례와 환호를 받으셨다나.. 본의 아닌 사실 왜곡이었지만 그래도 어떠랴. 부모님이 기뻐하시고 주위 반응도 뜨거웠다니?

"하하~, 어떻게 아들 목소리도 구분 못하세요? 제가 폴 앵카보다 더 잘 하잖아요. 실망이네. 다음에는 노래를 직접 불러드려야 겠어요. 기대하세요."

그래서 기타를 샀다. 간만에 어색하게 잡은 기타를 무릎에 올려놓고 연습했다. 노래는 아들과 듀엣이었고 그 다음해 명절날 영상통화하며 라이브로 불러드렸다.

혹시 한국에 계신 부모님께 선물을 아직 준비하지 못했다면 올 설날 가족 합창 라이브는 어떨까? 아니면 영상 편지에 마음을 담아 보내는 것은? 분명 보내는 사람에게도, 받는 사람에게도 기억에 남는 특별한 선물이 될 것이다.

내가 만난 집주인들

홍콩에 16년 거주하며 총 5번의 이사를 했다. 한 곳에서 평균 3년 좀 넘게 산 셈이다. 집을 옮기며 여러 집주인들을 만나 보았다. 오늘은 기억에 남는 홍콩의 집주인들에 대해 얘기해보려 한다.

두번째 거주지의 주인 부부가 우선 떠오른다. 남편에 비해 아내가 무척 까탈스러웠다. 3년 후 집을 비우고 나갈 때 그 안주인은 눈에 현미경을 장착하고 집안 곳곳을 둘러봤다. 우리가 보기엔 별거 아닌 거였지만 그녀는 하나하나 지적해가더니 결국 보증금에서 몇 백 달러를 공제한 후 상황이 정리되었다. 이런 부류의 집주인은 피곤한 스타일이기에 세입자는 사전에 성향을 파악하여 평소 집기 사용 등에 주의해야 한다.

네번째 아파트의 경우는 중간에 집주인이 바뀌었다. 계약을 다시 해야 하나 당황스러웠지만 알고 보니 새로 다시 계약서를 쓸

244

필요는 없었다.

집안의 구조가 좋아 나의 아내가 가장 마음에 들어 했던 다섯 번째 집은 딱 2년만이었다. 집주인 딸이 들어와 살 거라면서 집을 비워달라고 했다. 집도 사람처럼 인연이라는 것이 있음을 실감하게 되었다.

그 후 같은 동네인 타이쿠싱에서 집을 보러 다녔다. 고민 끝에 저층이었지만 위치가 좋았고 내부가 깨끗한 집이 있어 그곳을 1순위로 정해 계약을 하게 되었다. 집주인은 할머니였는데 계약 날 나랑 부동산 중개인이 먼저 와서 기다렸다. 그런데 10분, 20분을 넘겨서도 할머니는 안 나타나는 것이 아닌가. 중개인이 다급한 마음에 계속 연락을 시도했지만 깜깜 무소식이었고 우린 결국 자리를 떴다.

다음날 확인해 보니 그 분의 남편이 공교롭게 계약일에 세상을 떴다고 했다. 경황없었던 집주인은 우리와 약속된 곳에 오지 못하고 연락도 안 닿은 것이었다. 중개인의 말을 들어보니 홍콩에서는 가족이 죽으면 여러가지 상황들로 인해 단기간에 계약이 어렵다고 했다. 언제까지 기다릴 수 없어 아쉽지만 2순위 집으로 차기 거주지를 변경해야 했다.

2순위 아파트의 주인은 한 회사의 사장으로 홍콩을 자주 비웠고, 비서가 대행하여 임대 업무를 맡았다. 그런데 새 집주인은 내가 이전 계약 시 경험하기 힘들었던 여러가지 까다로운 세부 조건들을 달아 계약 날짜가 계속 지연이 되었다. 홍콩에 살면서 처음 겪는 역대급 까다로움에 '다른 곳을 찾아볼까' 하는 고민이 생기기도 했다.

하지만 1순위도 떠나가고 마음에 드는 다른 선택지가 없었다. 결국 여러 세부 조건에 맞추는 걸로 해서 이 집과 계약을 하게 되었다. 우리도 나중에 문제의 소지가 있는 곳은 미리 사진을 찍어 두었다.

약간의 걱정과 우려로 시작된 홍콩의 6번째 보금자리는 살아보니까 전반적으로 만족도가 높았다. 살면서 별다른 불편함이나 문제가 없어 지금까지 6년간 거주하고 있다. 반대로 같은 동네의 1순위 아파트는 건물 전체가 내부 공사에 들어가며 늘 먼지로 뒤덮여 있었다. 결국 차선으로 선택한 집이 사실은 최선이었던 것이다.

작년 11월이었다. 홍콩에서의 시위 사태가 절정에 달할 무렵, 학원 사업도 영향을 받을 수밖에 없었다. 나는 집주인의 비서에게 문자 메세지를 보내 이달 임대료만 HK$5,000(한화 약 80만원) 낮춰 줄 수 있겠냐고 조심스레 물어보았다. 밑져야 본전이니까.

하루 안에 답이 왔다. 장문의 메세지는 내 눈을 의심하게 만들었다. '임차인이 장기 거주하며 임대료도 제때에 지불한 점, 현 홍콩의 시위 상황을 고려하여 올해 11월부터 내년 4월까지 매달 무려 HK$1,500의 임대료를 낮춰주겠다'는 내용이었다. 6개월간 HK

$1,500씩 깎아주면 HK$9,000이 되니까 애초에 내가 제시한 HK$5,000보다 두 배 가까이 낮춰준 것이 아닌가!

자그마한 사례를 하기 위해 나는 집주인과 비서에게 줄 인삼 제품을 사들고 그들의 회사를 방문했다. 주인은 출장 중이었고 비서와 첫 만남이 이루어졌다. 그녀는 자기 선물은 한사코 안 받겠다고 했으나 나는 던져 놓듯 두고 나왔다.

다음날이었다. 나의 아내가 메세지를 보내왔다. "집주인이 와인 한 병 보내왔네". 집주인은 나의 작은 선물에 그냥 넘어가지 않았다. 나의 선물과 집주인의 답례가 이틀 동안 탁구공처럼 왔다갔다 한 것이었다.

계약 당시 까다로운 요구 조건 때문에 나를 고민하게 만들었던 집주인은 예상치 못한 반전 매력을 지니고 있었다. 우선 순위를 두고 찍어두었던 집을 갑작스러운 사고로 놓치고 차선으로 선택했던 이 집에서 홍콩 생활 최장인 6년간 거주하게 된 것도 예상 밖의 일이었다.

인생은 타이밍이라고 했던가. 내가 원하는 시기에 원하는 집을 구하는 것도 큰 복이며 집주인까지 잘 만난다면 금상첨화일 것이다. 하지만, 꼭 그렇지 않더라고 나름 만족하며 정을 붙이고 살면 몰랐던 장점도 발견할 수 있게 되는 것 같다. 눈 앞에서 떠난 그 1순위 집이 실제 살아보니 숨어있던 단점들이 여기 저기서 튀어나올지 누가 알겠는가.

차선이 최선이라고 생각하고 생활하면 정말 최선이 될 수 있다는 것, 아니면 그것이 사실은 최선이었을 수도 있다. 이것은 단지 집을 구하는 일에 국한되지 않는 세상의 이치와도 닿아있는 것 같다.

나는 아직도 집주인 얼굴을 보지 못했다. 그저 사업가답게 꼼꼼하지만 인정있는 모습을 하고 있을 거라고만 상상해 본다.

"감 쩨 야아보르
(이 또한 지나가리리)"

홍콩의 자영업자들은 요즘 그야말로 죽을 맛이다. 작년 8월부터 시작된 시위의 영향으로 힘든 시간들을 보냈는데, 상황이 잠잠해 지려니 더 큰 것이 터졌기 때문이다. 바로 그 끝을 예측하기 힘든 우한 폐렴 사태이다. 불행은 한꺼번에 닥친다고 했던가. 엊그제, 홍콩 정부는 결국 서비스 업종과 저소득층을 위해 250억 홍콩 달러를 지원한다는 정책을 발표했다.

홍콩의 업체들뿐만 아니라 사업을 하는 교민들 역시 힘들기는 다를 것이 없다. 이미 작년에 장기간의 시위들로 휘청거렸다. 겨우 추스리려고 하니 또 한 방이 강하게 들어온 것이다. 나 역시 홍콩에서 12년간 사업을 하면서 이와 같은 일련의 우환들은 처음 겪고 있다. 남편이 여행업 종사자였던 우리 학원의 수학 교사 한 명은 작년 시위 여파를 넘지 못하고 남편을 따라 한국으로 귀국하며 짧은 홍콩 생활을 접어야 했다.

자영업자 및 서비스 업종의 경우 손님은 줄고 그에 따른 매출 감소도 피할 수 없다. 하지만 임대료 등의 고정비는 야속하게도 꼬박꼬박 나가고 있다.

며칠 전, 나는 한 명의 교사와 메세지를 주고받다가 이런 문구를 보냈다.

"이 어려움을 극복하기 위해 여러가지 방안을 마련하고 있으니 많은 협조 부탁합니다"

라는 내용이었다. 미소 띤 이모티콘과 함께 그녀가 보내온 회신에는 이렇게 쓰여 있었다.

"이 시기만 지나면 좋아질 거에요^^"

알고는 있었지만 그동안 걱정으로 인해 잊고 있었던 지극히 당연한 이 사실이 위로가 되어 다시 한번 나를 일깨워줬다. 따지고 보면 상황이 그렇게 나쁘지만은 않았다. 많은 학생들이 연장된 방학으로 인해 한국에 갔지만 이 와중에 새 수강생들도 생기고 있다. 얼마전에는 개원 이래 처음으로 한국 거주 수강생을 받기도 했다. 멀리 홍콩까지 연락을 해 와 한국에서 전화로 광동어를 배우려는 직장인이었다. 코로나라고 쓰여 있는 강한 폭탄을 맞았지만 이처럼 아주 폭삭 가라앉은 것은 아니다.

또한 우한 폐렴 사태를 계기로 온라인 수업이 많아지며 이와 관련된 노하우도 쌓을 수 있어 하나의 기회가 되고 있다. '위기'라는 단어는 위태로울 위(危)'자와 '기회 기(機)'자로 이루어져 있다. 나 역시 이 '위' 속에서 '기'를 찾기 위해 노력하고 있다. 하늘 높은 줄 모르고 올라 있는 홍콩의 부동산 가격으로 집을 사기 힘든 것이 현실이지만, 2000년대 이후 홍콩인들에게 내집 마련의 기회가 몇 번 있었다. 그것은 바로 2003년 사스때와 2009년 글로벌 금융 위기 때로, 홍콩의 주택 가격이 당시 각각 9%, 14%나 폭락한 바 있다. 당시 위기를 기회로 바꾼 사람들 중에는 부동산으로 돈을 벌거나, 집을 장만한 사람들도 있을 것이다.

사실 사업을 하다 보면, 아니 살다 보면 항상 나쁜 일만 있는 것도 아니고 늘 좋은 일만 생기는 것도 아니다. 어느 책에서 읽었는데 인생의 묘미는 '앞으로의 일을 알 수 없다는 것'이다. 영화 '포레스트 검프'에서 주인공의 어머니는,

"인생은 초콜릿 상자와 같아. 네가 고른 초콜릿 안에 뭐가 들었는지 모르거든."

이란 말을 했다. 이것은 그녀가 아이큐 75의 저능아이자 다리 불구였던 아들에게 해 준 말이다. 몸이 좀 불편하고 지능이 낮더라도 인생은 살아보기 전까지는 어떻게 될지 모른다는 뜻이다. 기회는 누구에게나 열려 있으니 말이다.

내가 홍콩에서 경험한 최고의 특수 중 하나는 2015년 여름이었다. 바로 메르스 사태 때이다. 홍콩의 여름 방학은 길다. 많은

한국 학생들과 교민들이 한국에 들어간다. 하나 2015년에는 한국의 메르스 발생으로 인해 이들이 홍콩에서 여름 방학을 보낸 것이다. 당시 나는 식사할 시간도 없이 그 어느 해 보다도 바쁘게 지냈다. 지금 경기가 완전히 가라앉은 홍콩에서 한편으로는 마스크, 휴지, 손소독제 제조 회사들이 24 시간 공장을 가동하며 호황을 누리고 있다. 음이 있으면 양이 있고 양이 있으면 음이 존재한다.

'이 시기만 지나면 좋아질 거예요'라고 한 그 교사의 말은 단순히 위로가 아닌 사실일 것이다. 다행히 이 전염병은 '유행'의 한 형태이다. 유행의 특징은 짧은 시간 널리 퍼졌다가 이내 곧 가라앉는 것임을 우리는 잘 알고 있다. 몇 년 후 이맘때에도 사람들은 아직도 마스크를 쓰고 여기저기 휴지를 사러 다닐까?

2008년 개인 사업을 시작한 나는 우려와 달리 시작이 참 좋았다. 하지만 2009년 글로벌 금융 위기로 어려움을 겪었고 결국 귀국을 하려고 했다. 그런데 아버지께서 '일단 시작했으니 거기서 승부를 내라'고 귀국을 만류하시는 게 아닌가. 금융 위기는 곧 정리가 되었고 아버지의 그 한마디로 나는 이후 10년이 넘도록 비교적 순조롭게 사업을 운영해 왔다.

어려운 시기를 겪고 있는 우리 교민들도 좀 더 힘을 냈으면 좋겠다. 그리고, 지금을 치열하게 살아온 인생에서 한 박자 쉬어 가며 지난 날들을 돌아보는 시간으로 삼는 것도 괜찮을 것 같다. 아니면 위기에서 기회를 창출해 보는 시도도 해 볼 수 있다. 예상치 못한 악재가 있듯이 뜻밖의 호재가 고진감래의 감동적인 스토리가 되어 우리를 기다리고 있을 수도 있다.

옛날, 지혜의 상징인 솔로몬 왕의 손가락에는 반지가 하나 끼워져 있었다. 그 반지에는 히브리어로 이런 문구가 쓰여 있었다고 한다.

"gam zeh ya' avor! (감 쩨 야아보르: 이 또한 지나가리라)!"

홍콩 사람들의 온정,
느껴봤나요?

　홍콩에 16년 거주하면서 이곳 사람들에게 느낀 인상은 다음의 한 문장으로 요약해 볼 수 있다 - '온순하지만 정(情)이 부족하다'. 이 말에 우리 교민들도 대체로 동의하는 편이다. 반대로 한국 사람들은? '거칠지만 정이 많다'. 이것이 내가 생각하는 한국 사람과 홍콩 사람의 특징이었다. 내 눈에 비친 두 지역 사람들의 성격은 이렇게 반대되는 요소를 갖고 있었다.

　그런데 이번 우한 폐렴 사태를 겪으면서 나의 인식에 조금씩 변화가 생기고 있다. 이전에 자주 경험하지 못했던 이곳 사람들의 온정이 조금씩 나에게 스며들고 있는 것이다. 최근에 겪었던 일련의 일들은 '홍콩 사람들에게도 이런 면이 있었나'라는 생각을 갖게끔 한다.

설 연휴 후의 첫번째 수업 날, 우리 교실에서는 탄성이 나왔다. 고국에서 설을 보낸 내가 한국에서 가져온 KF94 마스크를 홍콩 학생들 한 명씩에게 선물해 준 순간이었다. 홍콩에서는 마스크 대란을 겪는 중이었지만 한국에서는 아직 여유가 있었다. 하지만 그로부터 1주일 후, 반대의 상황이 벌어졌다. 학생들은 나름대로 여유있게 마스크를 준비해 놓은 상태였고 막상 나 스스로는 부족해진 것이다. 수업 중 얘기를 하다가 이 사실을 알게 된 학생 두 명이 그 자리에서 자신들의 마스크 몇 개를 나에게 건넸다. 나중에 확인해 보니 모두 10장이었다. 그들이 아무리 충분하게 갖고 있다 해도 이 사태가 얼마나 오래 갈지 모르는 상황에서 내가 받은 마스크는 그들의 귀중한 선물이었다.

며칠 후, 다른 수업 시간이었다. 이날은 또 하나의 대란 품목인 화장지가 화제로 등장했다. 이 또한 우리 반의 홍콩 사람들은 이미 충분히 비축을 해 놓고 있었다. 하지만 나는 그렇지 못했다. 시간 있을 때마다 근처의 수퍼마켓에 가서 확인했지만 휴지가 있어야 할 자리는 늘 텅 비어 있었다. 나는 이런 상황을 하소연했다.

그날 수업은 밤 9:30에 끝났고 나는 퇴근을 위해 정리를 하고 있었다. 그때, 방금 수업을 마치고 귀가중이던 한 명에게서 전화가 왔다. 얼마 전에도 설 명절에 자신이 직접 만든 무우떡을 선물로 주었던 수강생이다.

"선생님, 아직 학원이에요?",

255

"네, 그런데요?"

그 아주머니 학생은 나에게 뜻밖의 기쁜 소식을 전해왔다.

"집에 가다가 휴지 파는 곳이 있어 방금 샀어요. 지금 그리로 갈게요".

앗, 판매 장소만 알려줘도 고마운 마당에 그것을 직접 사 들고 이 늦은 시간에 발걸음을 돌린 것이다. 아마 내가 연락 받고 가면 이미 동이 날 거라 생각했으리라.

문을 빼꼼히 열고 들어선 그녀의 손에는 한 줄의 화장지들이 주렁주렁 들려 있었다. 밤 10시가 다 되어 가는 늦은 시간, 그녀의 방문은 나에게 큰 감동을 선사하였다.

하나의 일화를 더 소개해 본다. 얼마 전 주소를 알려 달라고 문자를 보내온 학원생이 있었다. 나에게 한국어를 배우고 있는 홍콩 여성이었다. 나는 주소를 적은 후,

"그런데 왜요?"

라 덧붙이고 나서 발송 버튼을 눌렀다. 곧 답이 왔다.

"수업료 수표를 보낼 거예요"

그런데 확인해 보니 아직 수업료를 낼 때가 아니었다. 더구나 이 반은 최근 우한 폐렴 사태로 수업이 잠정 중단되었기에 나는 '나중에 수업할 때 주세요^^'라고 메세지를 보냈다.

며칠 후였다. 우리 학원의 우편함에 한 통의 편지가 도착되었다. 봉투를 뜯어보니 따뜻한 마음이 베어 있는 수표가 한 장 들어 있

었다. 직접 말로 표현은 안 했지만 분명 도움을 주고자 하는 배려였다.

마스크와 화장지, 그리고 수표까지.. 어려울 때 도와주는 것이 진짜 돕는 것이라 했다. 지금은 누구나 당장 내 코가 석자라고 느끼는 비상 시기 아닌가. 아, 그동안 내가 알고 있었던 홍콩 사람들은 그게 전부가 아니었구나 하는 생각이 들었다.

기억을 더듬어 보면 오래전, 잊지 못할 경험을 선사한 이도 있었다. 내가 홍콩에 온 지 얼마 안 된 주재원 시절이었는데, 하루는 술을 진탕 마시고 귀가 중이었다. 잠에서 깨어보니 지하철은 내가 내려야 할 역을 지나 다음 역을 향하고 있었다. 지하철이 정차하자 나는 서둘러 일어났다. 지하철 역을 빠져 나올쯤 사건이 터졌다. 나는 곧 벽을 짚고 몸 속의 불순물들을 힘들게 게워내야 했다. 그런데 이때 한 여성이 다가와,

"괜찮으세요(Are you OK)?"

라고 묻는 것이 아닌가. 나는 손사래를 치며 괜찮다고 했지만 그녀는 자리를 뜨지 않고 한 번 더 물어봤다.

"정말 괜찮으세요(Are you really Ok)?"

나는 너무 무안해서 괜찮으니 빨리 가라고 손짓을 했다. 이 분은 이렇게 몇 번 물어보더니 내 어깨 너머로 뭔가를 건넸다. 티슈였다. 그리고서야 발걸음을 옮겼다. 대부분의 사람들이 얼굴을 찡그리며 멀찌감치 돌아갔을 텐데 이런 사람도 있었다. 그 날 이후로 나는

남의 나라 땅에서의 과음은 삼가하고 있다.

홍콩에 살고 있는 교민들도 현지인들에게 온정을 느껴본 적이 있 는지 궁금하다. 그들로부터 정을 느끼기 힘들다는 선입견을 갖고 있지는 않은가. 우리가 살고 있는 홍콩 땅이 그렇게 삭막한 곳은 아니었던 것 같다. 이번 코로나 바이러스 사태를 통해 얻은 수확 중의 하나는 홍콩 사람들의 온정이었다.

몹쓸 바이러스들이 돌아다니는 요즘, 그 사이를 비집고 온정과 사랑의 바이러스 백신도 같이 섞여 흩날리고 있다. 갑자기 기온이 내려가 움추러든 내 몸에 한 줄기 빛으로 내리쬐는 햇살이 유난히 따뜻하게 느껴지는 오후이다.

HKU SPACE에서
한국어 교사로 일하며

　일요일 오전 카우룬베이의 한 강의실. 많은 이들이 늦잠을 즐기고 있는 휴일 황금 시간에 성인 남녀들이 한국어를 배우기 위해 삼삼오오 교실로 들어온다. 이중에는 4년 동안 제일 먼저 와서 다정하게 자리를 지키고 있는 60대 노부부도 있다. 이윽고 10시가 되면 한국어 고급반 수업이 시작되며 교실은 세 시간 동안 학생들의 진지함과 열정으로 채워진다.

　내가 10년간 한국어를 가르치고 있는 HKU SPACE의 한 교실 분위기를 소개해 보았다. HKU SPACE는 'HKU School of Profe - ssional and Continuing Education'의 약자이고, 중국어로는 '홍콩대학 전업진수학원(香港大學專業進修學院)'이다. 우리나라의 대학 기관 중 사회 교육원이나 평생 교육원에 해당된다.

2010년 내가 HKU SPACE에 문을 두드렸을 때는 한국어 교사가 6~7명이었으나 지금은 30명 가까이 될 정도로 급증하였다. 채용되었을 당시 나의 경력은 미천했지만 교육학 박사 과정에 있었던 것이 인정되어 운좋게 한국어 교사가 될 수 있었다. 그러나 최근 채용된 교사들을 보면 한국의 명문대 출신이거나 석사 이상의 소지자가 많고, 공채시에는 30~40명이나 되는 지원자가 원서를 낸다고 한다.

HKU SPACE는 홍콩대학교라는 명성에 걸맞게 최고의 대우와 엄격한 관리가 동시에 이루어지고 있다. 한국어 프로그램 과정을 책임지는 전임교사가 수시로 교실을 다니며 교사들의 수업을 청강하고 피드백을 전달한다. 매학기가 끝날 무렵에는 학생들이 교사의 수업을 평가하여 그것이 점수로 환산되는 강의 성적표가 나온다. 또한 학생 대표가 교사 및 학교 운영진 앞에서 수업에 대한 소감과 건의를 허심탄회하게 전달하는 확대 회의도 운영되고 있다. 나는 이런 홍콩의 최고 기관에서 다른 우수한 교사들과 함께 수업을 하고 있다는 사실에 자부심과 감사함을 느낀다.

한국어를 가르치는 일은 예전부터 관심을 갖고 해 보고 싶은 일이었다. 그래서 국제학대학원에서 중국학을 공부할 당시 옆 건물의 한국어학당을 종종 기웃거렸었다. 그리고 실제로 한국어학당의 한 교사를 만나 이 분야에서 일하기 위한 준비 및 조언을 듣기도 했었다. 결국 10년 간의 직장 생활 중 홍콩에서 일하게 된 것이

계기가 되어 향후 12년은 교육쪽에 종사하고 있다.

최근 한류의 영향으로 한국어 및 한국 문화에 관심을 보이는 사람들이 많아졌다. 나는 수업을 하다가 한국이라는 작은 나라에 이렇게 깊은 관심을 갖는 홍콩 사람들에게 문득문득 감사함을 느끼곤 한다. 이들은 대부분 직장인들이라 평일 저녁이나 주말에 와서 수업을 듣는다. 특히 누구나 편하게 쉬고 싶어하는 일요일 오전에도 수업을 듣는 사람들이 많다는 사실을 알게 되었을 때 의아함과 함께 이들의 열정에 존경심마저 들었다.

HKU SPACE에서 수업하는 필자

그래서 나는 기왕이면 이들에게 즐거운 수업이 되도록 신경쓰고 있다. 피곤한 직장인들이고 한번에 세 시간의 수업이 이루어지는 만큼 재미있어야 한다는 것이 나의 지론이다. 이 일을 사랑하는 이유 중 하나는 웃으며 일할 수 있다는 것인데, 세상에는 이런 직종이 많지는 않을 것이다. 오히려 학생들에게 웃음과 즐거움을 선사해야 한다는 것이 작은 스트레스가 되기도 한다.

이에 대한 보상일까? 때로는 학생들로부터 즐거움을 선물받기도 한다. 한번은 한 여학생에게,

"주말에 어떻게 보냈어요?"

하고 물어봤다. 그런데,

"남자 친구와 샤워했어요"

라는 대답이 돌아오는 게 아닌가. 주위도 술렁거렸다. 어라, 재미있는데. 좋아, 오늘은 19금이다.

"서로 등도 밀어줬어요?"

등을 미는 동작을 취하며 물어봤다.

"네? 아니요. 남자 친구와 싸워했다구요."

알고 보니 '싸웠어요'를 '싸우다'와 '하다'를 섞어 '싸워했어요'라고 잘못 말한 것이다. (몇 주 후 이 학생은 결국 남친과 헤어졌다는 슬픈 소식이 ㅠㅠ)

이 이야기는 내가 이후 수업 시간에 자주 소개하는 레퍼토리가 됐다. '멋있어요'를 '맛있어요'로, '선생님'을 '생선님'이라고 말하는 학생들의 실수 리스트에 추가시키면서 말이다.

필자 외에도, 이렇게 현지인들을 상대로 한국어를 가르치면서 한국 문화와 한국을 소개하는 언어 전도사들이 홍콩의 교육 현장

곳곳에서 활동하고 있다. 한국어 교사들의 노고에 격려의 박수를, 그리고 이 시간에도 한국 드라마를 보면서 사전을 뒤적이는 홍콩인들에게 감사의 마음을 전한다.

* 한국 교민을 위한 팁(tips):

1. HKU SAPCE 한국어 교사에 지원하려면?

학생 관리 능력과 수업 경험을 우선적으로 보며 외국어 능통자와 석사 학위자 우대. 최근에는 중/고급 수업이 가능한 교사들을 찾고 있으며 연중 상시 채용 중임.

2. 홍콩의 교육 보조금 제도 – CEF

CEF는 'Continuing Education Fund'의 약자인데 한마디로 홍콩 정부의 교육 보조금 제도이다. 정규 학교 졸업 후 대학 기관이나 인정된 교육원에서 어학, 경영, 회계, 엔지니어링, 예체능, 기타 기술 분야 등의 수업을 이수하면 1년에 최대 HK$20,000 까지의 보조금을 환급 받을 수 있다. 한국 교민을 포함한 홍콩 거주 외국인들도 신청이 가능하다. HKU SPAC에는 1,000개 이상의 교육 코스가 CEF 혜택하에 있어 이 분야에서 홍콩 최대이다.

주재원 별곡

    내가 예전에 주재원으로 있던 회사의 후임자와 만나 맥주 한 잔 하던 날이었다. 나의 대학 후배이기도 했던 그는 최근 바이러스 상황으로 인한 어려움, 본사의 방침과 홍콩 거래선 상황 사이에서의 갈등 등 고민을 토로하였다.

    "아, 내일 거래선과 연락해서 담판을 지어야 하는데 걱정이네요.."

    이 하소연은 내가 10여 년 전, 이 친구의 자리에 앉아서 했던 바로 그 고민과 레퍼터리였다. 주재원으로 있던 지난 4년 간의 세월들이 순간 내 머리 속에서 주마등처럼 스쳐 지나갔다.

    2004년 2월, 나는 설레이고 흥분된 마음으로 홍콩 땅을 밟았다. 주재원으로 허락된 홍콩에서의 시간은 4년이었다. 오자마자 집을 알아보러 다니고, 노트북 컴퓨터, 휴대 전화 등 이곳에서 필요한 물품들을 구하기 위해 들뜬 마음으로 분주했다. 처음 몇 주 동안은 새로운 환경에서의 자유로움도 만끽했다. 신이 내린 보직이라는 1인 주재원으로 부임하여 현지인 직원 한 명 외에는 상사나 동료가 없었기 때문이었다.

나는 한국의 중견 제지업체에 근무하였는데, 홍콩 지사에서의 역할은 한국 공장에서 생산한 것을 현지 수입 도매상에 판매하는 일이었다. 즉, 수출 및 해외영업이라 할 수 있고 주된 업무는 거래선 관리였다. 따라서, 홍콩에 온 즉시 생활 터전을 마련함과 동시에 홍콩 거래처에 인사를 하러 다녔다. 이중 한 홍콩 업체의 임원이 나와 첫 인사를 나누며 이런 환영사를 건넸다.

"한국 주재원 가족들이 처음에 올 때 아내가 운다면서요? 많은 나라 중 왜 하필 홍콩이냐구요. 그런데 나중에 한국으로 돌아갈 때가 되면 또 운다더라구요. 홍콩을 안 떠나면 안되냐구요. 하하~".

내가 부임한 지 얼마 안 되어 부모님이 오셔서 중국 선전에 모시고 간 적이 있었다. 그때 한국인 여행 가이드도 나에게,

"홍콩 좋죠? 아마 나중에 홍콩을 못 떠날걸요? 두고 보세요."

하면서 점쟁이라도 되는 냥 말한 적이 있었다. 당시 나는 마음속으로 콧방귀를 끼었지만 몇 년 후, 그 예언은 기가막히게 적중하였다.

그러나 최근에는 상황이 바뀌고 있는 듯하다. 점점 많은 가족들에게 있어서 해외로의 발령이 커다란 골칫거리가 되고 있는 것이다. 이것은 아내도 일을 하고 있거나 자녀가 고학년으로서 해외

이주 시 교육적인 문제가 발생할 때이다. 맞벌이 가정이 늘어나고 있는 바, 이들 가정에게 남편의 해외 근무 발령은 달갑지 않은 뉴스이다. 그래서 최근 내가 기업체 출장 강의를 가면 가족은 한국에 두고 혼자 나와 있는 주재원들을 많이 보게 된다. 또한 새로운 추세도 있는데, 아내가 홍콩에서 주재원으로 일하게 되거나 이곳에 직업을 얻어 이주해 오는 경우이다. 이로 인해 남편은 한국에 거주하고 아내와 아이가(아이는 현지 교육을 위해) 홍콩에서 생활하는 교민들도 생겨나고 있다. 혹은 아내가 이곳에서 직장을 다니고 같이 이주해 온 남편은 육아와 가사를 담당하는 가정도 종종 볼 수 있게 되었다. 최근 트렌드의 변화라 할 수 있다.

해외 근무의 기회를 거절할지, 아니면 가족과 떨어져 혼자 올지 또는 같이 올지는 각 가정의 상황에 따라 결정이 될 것이다. 하지만, 일단 홍콩에 오게 된 이상 이 기회를 특별히 여기는 마음 가짐이 중요하다.

나는 부임한 직후, 이전 주재원으로 있었던 전임자의 가족과 식사를 할 기회가 있었다. 그 전임자의 아내분이 이런 얘기를 하였다.

"회사 생활 중 해외에 나가 거주할 기회가 생긴다는 것은 매우 특별한 경험인 거 같아요"

그렇다. 직장인 누구나 해외 근무가 가능한 것은 아니다. 주재원이 된다는 것은 회사로부터 신임이 두텁다는 것을 증명함과 동시에 본인에게는 그 기간 동안 인생에서 잊을 수 없는 특별한 경험을 선사 받는 것이다.

따라서 이곳에 머무는 기한내에 많은 것을 경험하고 배우는 것이 중요한 것 같다. 현지 직원과 교류하고 외국 거래선들과 만나 비즈니스를 익히면서, 또한 주말 등 업무 시간 외에는 다른 문화와 환경속에 어우러져 생활해 볼 수 있다.

나의 경험에 의하면 주재 기간 4년은 무척 빨리 지나갔다. 계절이 몇 번 바뀌더니 본사로 귀환하라는 팩스가 날아들었다. 이런 상황은 다른 주재원들도 크게 다르지 않았다. 귀국을 얼마 앞두고 후회와 아쉬움을 털어 놓는 이들도 종종 보아 왔다. 평생 한 번 오기 힘든 해외 생활을 허무하게 보냈다는 것이다. 내가 주재원 생활 후 홍콩에 남게 된 것도 내 전임자의 후회가 결정적인 계기로 작용했다. 그는 귀국 후 하던 말이 있었는데, 홍콩 생활 중 중국어를 배우지 못한 것이 후회된다는 것이었다. 이 말은 나에게 새로운 기회에 눈을 뜨게 해 준 암시가 되었다.

따라서 그것이 무엇이든, 외국어든 취미나 특기 생활이든, 운동이든 아니면 기타 새로운 무엇이든 간에 시간 관리를 잘 해서 임기가 끝나갈 때 후회가 없도록 해야 할 것 같다. 내가 만일 주재원 시절로 돌아간다면 매일 일기를 쓰면서 홍콩, 중국과 관련하여 관찰한 것, 몸소 경험한 것들을 기록에 남겨 책을 한 권 출판할 것이다. 나의 경우 홍콩 외에도 남중국 시장을 담당하여 선전, 광저우 등 중국 대륙도 자주 드나들었다. 그 당시 보고 느낀 것을 견문록으로 남기지 못한 것이 아쉬움으로 남는다.

끝으로 오늘도 회사의 명예를 걸고 타지에서 열심히 일하고 있는, 태풍 8호에도 현지인은 귀가시킨 채 사무실에 남아 있는 우리 한국인 주재원분들에게 축원을 남기고 싶다.

"홍콩에서의 생활 동안 늘 건강하시고 행복이 함께하시길 기원합니다! 가족분들과 함께 평생 기억속에 간직될 아름다운 추억 많이 남기세요~"

1권을 나가며 ◈◈◈◈◈◈◈◈◈◈◈◈◈◈◈◈◈◈◈◈◈◈◈◈◈◈◈◈

1권에 담은 글들은 수요저널에 칼럼을 처음 연재하기 시작한 2019년 하반기부터 2020년 상반기의 칼럼들이다. 2019년 하반기에는 주로 홍콩의 역사와 문화를 담았다. 문화의 경우는 내가 홍콩에 거주하며 느꼈던 것들을 글로 써내려간 칼럼들이 많았다. 그러다 2020년에 접어들면서 코로나 바이러스 사태가 터졌다. 이후의 내용들은 이와 관련된 주제가 많다. 코로나 바이러스를 겪으며 싸워 나가는 홍콩 사람들과 이곳 분위기를 전달하고자 했다.

칼럼이 게재된 후, 이 글들을 모아 책으로 펴내기 위한 작업은 2023년에 진행되었다. 출판을 하고자 수요저널에 실렸던 글들을 다시 읽어나가며 필요한 부분들은 교정을 했다. 교정 작업은 완성도를 좀 더 높이고 그동안 변화된 부분을 갱신하는 쪽으로 진행이 이루어졌다.

하나 부족함이 지워졌다고 할 수는 없을 것이다. 부족함이나 아쉬운 부분들은 글을 읽는 독자들의 조언 및 지적에 겸허히 귀기울이려 한다.

참고자료 ◇◇◇◇◇◇◇◇◇◇◇◇◇◇◇◇◇◇◇◇◇◇◇◇◇◇◇◇◇◇◇

香港古代史新编，蕭國健, 中華書局, 2019
  - '홍콩' 이름의 유래, 당신은 알고 계십니까?
  - 옛날 홍콩에는 누가 살았을까?

香港文化導論, 王國華主編, 中華書局, 2014
  - 청나라 때 세워진 역사적 병원, 그리고 토요일 스티커
  - 120년전 홍콩을 공포로 몰아넣은 전염병의 정체는?
  - 홍콩의 종교 인구 3위는 기독교, 1,2위는?

香港的100件大事 (上) 中華書局(香港)有限公司，2014
  - 120년전 홍콩을 공포로 몰아넣은 전염병의 정체는?

香港故事, 閔捷, 三聯書店, 2019
  - 천태만상, 홍콩의 옥상 문화
  - 완차이 클라쓰, 이태원 클라쓰

现代汉语，黄伯荣、廖序东主编，高等教育出版社，2004
  - 홍콩에는 푸통화, 광동어 말고 또다른 중국어가 있다?

香港 · 點變，余震宇, 萬里機構, 2018
  - 우리가 잘 모르는 의외의 명소들

중국 문화에 담긴 중국어 이야기, 魯寶元, 다락원, 2003
  - 한국은 김이박, 영 · 미는 스미스, 홍콩은 ○○○○○○